香港時代文集

余英時——著

余英時文集編輯序言

聯經出版公司編輯部

余英時先生是當代最重要的中國史學者，也是對於華人世界思想與文化影響深遠的知識人。

余先生一生著作無數，研究範圍縱橫三千年中國思想與文化史，對中國史學研究有極為開創性的貢獻，作品每每別開生面，引發廣泛的迴響與討論。除了學術論著外，他更撰寫大量文章，針對當代政治、社會與文化議題發表意見。

一九七六年九月，聯經出版了余先生的《歷史與思想》，這是余先生在台灣出版的第一本著作，也開啟了余先生與聯經此後深厚的關係。往後四十多年間，從《歷史與思想》到他的最後一本學術專書《論天人之際》，余先生在聯經一共出版了十二部作品。

余先生過世之後，聯經開始著手規劃「余英時文集」出版事宜，將余先生過去在台灣尚未集結出版的文章，編成十六種書目，再加上原本的十二部作品，總計共二十八種，總字數超過四百五十萬字。這個數字展現了余先生旺盛的創作力，從中也可看見余先生一生思想發展的軌跡，以及他開闊的視野、精深的學問，與多面向的關懷。

文集中的書目分為四大類。第一類是余先生的**學術論著**，除了過去在聯經出版的十二部作品外，此次新增兩冊《中國歷史研究的反思》古代史篇與現代史篇，收錄了余先生尚未集結出版之單篇論文，包括不同時期發表之中英文文章，以及應邀為辛亥革命、戊戌變法、五四運動等重要歷史議題撰寫的反思或訪談。《我的治學經驗》則是余先生畢生讀書、治學的經驗談。

其次，則是余先生的**社會關懷**，包括他多年來撰寫的時事評論（《時論集》），以及他擔任自由亞洲電台評論員期間，對於華人世界政治局勢所做的評析（《政論集》）。其中，他針對當代中國的政治及其領導人多有鍼砭，對於香港與台灣的情勢以及民主政治的未來，也提出其觀察與見解。

余先生除了是位知識淵博的學者，同時也是位溫暖而慷慨的友人和長者。文集中也反映余先生**生活交遊**的一面。如《書信選》與《詩存》呈現余先生與師長、友朋的魚雁往返、詩文唱和，從中既展現了他的人格本色，也可看出其思想脈絡。《序文集》是他應各方請託而完成的作品，《雜文集》則蒐羅不少余先生為同輩學人撰寫的追憶文章，也記錄他與文化和出版界的交往。

文集的另一重點，是收錄了余先生二十多歲，居住於**香港期間**的著作，包括六冊專書，以及發表於報章雜誌上的各類文章（《香港時代文集》）。這七冊文集的寫作年代集中於一九五〇年代前半，見證了一位自由主義者的青年時代，也是余先生一生澎湃思想的起點。

本次文集的編輯過程，獲得許多專家學者的協助，其中，中央研究院王汎森院士與中央警察大學李顯裕教授，分別提供手中蒐集的大量相關資料，為文集的成形奠定重要基礎。

最後，本次文集的出版，要特別感謝余夫人陳淑平女士的支持，她並慨然捐出余先生所有在聯經出版著作的版稅，委由聯經成立「余英時人文著作出版獎助基金」，用於獎助出版人文領域之學術論著，代表了余英時、陳淑平夫婦期勉下一代學人的美意，也期待能夠延續余先生對於人文學術研究的偉大貢獻。

編輯說明

一、本書收入作者於一九五一至一九五六年，及一九六一至一九七八年兩段時間在香港所發表的長短文字，唯已收錄或改寫為其他專書的文章不再收入本書。

二、附錄一為作者擔任《中國學生周報》第一任總編輯時的社論「學壇」專欄，共收入十五篇文章。

三、附錄二為作者於香港時期之著述目錄，包括本書及收錄或改寫為其他專書的各篇文章之原始出處及發表時間，皆詳列於此。

四、文章原有按語，即依原本形式編排於文中，並以楷體標出。本書新增之編按，另以註釋註出。

五、書中所引之西方專有名詞、人名，盡可能採取作者原本之譯名，不特意改為現今常見之譯名。

目次

輯三　一九五三年

輯四　一九五四年

輯一

一九五一年

能忍自安

「能忍自安」這是中國的格言，這是中國人的處世哲學，也是目前世界所最迫切需要的良藥。世界為什麼變得如此緊張？如此危急？如此充滿著火藥氣味？曰不能忍。為什麼第二次大戰的瘡痕猶在，而人類又在計劃另一次更殘酷的集體屠殺？曰不能忍。一個說：「我們是和平的保衛者，但是祇有消滅了和平的敵人，真正的和平才能實現。」另一個說：「和平是我們的目的，但是侵略者逼人太甚，我們也不惜一戰。」都在示威！都在叫囂！都在瘋狂的備戰！這樣的世界能和平嗎？絕對不能。

兩百餘年來西方人民所追逐的目的可以一言以蔽之，曰容忍——宗教上容忍異端，政治上容忍反對派，社會上容忍不同的生活方式，文化上容忍多元的學術思想。伏爾泰說得好：「你說的話我一句也不贊成，但我拚命力爭你有說這話的權利。」這便是容忍意義的精髓。但今天，一個說：「容忍誠然是民主的要素，但我們不能容忍危害我們生存的敵人。」另一個說：「容忍便是和敵人妥協，便是投降。」這是何等偏見！何等膚淺！雙方卻不曾想到若雙方都能開誠相見，互相容忍，和平豈不易如反掌？彼此猜忌，彼此仇恨造成了今天的局面，這種不容忍的態度是人類生存的最大敵人。

是覺悟的時候了！讓陰霾、痛苦的舊世界隨著舊年而去吧！光明、幸福的新世界也必然會和新年一同降臨。人類是智慧的，必須終止自相殘殺的愚蠢行為。世界上絕大多數的酷愛和平的人們團結起來！讓那些野心家、戰爭販子無所施其伎倆。相容相忍相親相愛，永久的人類和平一定能夠實現。

一九五一年這個數字正告訴我們二十世紀的上半葉已經告終了。這是人類新生的象徵，也將是「容忍時代」的開始。

這就是我的新年希望。

一九五〇年十二月廿二日夜於九龍

文化侵略與文化交流

近代科學的巨大進步縮小了地球，使世界上各種膚色不同、信仰不同、文明程度不同，以及生活方式不同的民族如處一室，彼此的優劣、彼此的差異都無法隱蔽。人類本是能辨別善惡是非的智慧動物，看見人家的長處願意學取，發現自己的短處願意改掉；加之又處在「物競天擇，適者生存」的國際環境中，所以文化的溝通與交流便成為近代世界史上的必然趨勢。而「四海一家」的大同理想也應時而起，成為一種有力的時代思潮，這種思潮就是要形成統一的世界文化。從人類進步的立場上來看，這種理想是必然能夠實現的。但這種統一文化的形成是一個極艱難、極遲緩的歷史過程，絕不能一蹴而至，其中有一個必須遵守的共同原則，那便是「以其所有易其所無，交易而退各得其所」。因為任何國家的文化都有其優點和缺點，我們應取精華、棄糟粕，納各國文化的優美部分於一爐，熔成十全十美的理想的世界文化，而不能強將某一國文化全盤移植到別國去。前者才是文化交流，後者便是文化侵略了。

自中共統治了中國大陸後，文化侵略和文化交流的口號叫得特別響亮。他們最痛恨英、美的民主自由思想，所以當權後便在「消滅帝國主義的文化侵略」的藉口下進行了一連串的迫害教會、封閉或接管外人創辦的學校，以及禁止英、美各國的圖書雜誌輸入等等措施。自發動了所謂「抗美援朝」的運動之後更是變本加厲。但是漂亮的口號、盲目的衝動和逞一時之快並不能抹殺客觀的事實，基督教在西方本是國際性的宗教，並不屬於任何一國，更不會為了那一國或階級的利益侵略別國。它有獨立的主張與目的。雖然它有時也仗著某國的政治經濟力量進入別國，但它並不借著此種力量強迫別國人民信仰它。明末清初之際，西洋教士即已來華。他們欲以自然科學為餌，使中國人上他們宗教的鈎。不料聰明的中國人，祇吃他們的餌，卻不上他們的鈎。他們對之無可如何，直到現在基督教在中國的勢力仍不甚大。他們傳他們的教，信不信在我，這又何必一定要加上「侵略」的頭銜呢？至於外人經營的學校，十之八九都是教會辦的，這也祇是一種餌。若說教會學校出身的學生就一定是奴化思想，恐怕也是違反事實之談。今日中共陣營中許多重要的幹部，還不是教會學校畢業的嗎？傳教與辦學無論其動機如何，都未超過文化交流的原則。至於禁止一切英、美各國的學術思想輸入中國，那就更有討論之餘地了。英、美是實行民主政治有成績的國家，雖然他們並未達到完美的境地，還有為我們所不滿的地方，但大體說來，他們還能保持並發揚了近代民主主義的基本內容。近代民主主義的發現是人類一件大事，它正如電燈、火車、飛機等科學發明一樣，絕不是某一國家的獨占品。它必然要為每一個國家所採取。即使世界各國不相接觸，早遲都會個別地走向民主之途。「五四」以來，民主已成為中國人民所最嚮往的目標之一，中共有什麼理由禁止人民接觸它呢？這是一方面。另一方面，中共又用「封建的」、「殖民地的」等罪名將中國文化全部處死。但他們所創造的秧歌腰鼓之類的「文化」，畢竟不能滿足人民的精神需要，更不夠作他們的統治工具。於是又唱另一口號，那便是「文化交流」。

英、美等非共國家都是「帝國主義者」，當然不能成為中共尋找「文化」的對象。剩下的就祇有「以蘇俄為首的社會主義國家」了。但迄現在止，我們還祇知道有「中蘇友好協會」遍布全國，至於其他「人民民主國家」，大概其文化也不過秧歌腰鼓之流，所以還沒有「中匈」、「中波」、「中保」之類的「友好協會」成立，筆者也祇好置而不談了。那麼什麼是蘇俄的文化呢？筆者並不是歷史唯物主義者，因此對於文化的看法，也無法符合中共的意志。我認為文化是有連續性的，一國或一民族的文化，雖然常在進步中，但大體上總可尋出一個一脈相承的線索。所以我們可以斷言，蘇俄的文化也是有她一定的歷史傳統。十九世紀時，社會主義的思想盛行歐洲，一時社會主義的派別極多，其中以號稱「科學的社會主義」的馬克思一派最為有力。這一派學說的特點，就是以階級鬥爭為達到社會主義的唯一手段。他們不僅傳布其思想，並會在歐洲各地煽動革命，但結果都歸失敗。馬克思和恩格斯預測社會主義將先在英、德、美等工業先進國內獲得成功。但奇怪得很，十九世紀末，由於沙俄的腐敗專橫，俄國內部的革命潮流日益高漲，其中有民粹派、虛無主義派等許多革命派，馬克思主義也就在此時流入俄國。俄國本是一個文化低落的國家，自十五世紀中葉推翻了蒙古人的統治後，才建立起沙皇政權。這一政權一方面接受了韃族的專制政治，另一方面又處在與波蘭、瑞典、土耳其等國家此爭彼鬥的國際環境中，因此她的文化中確含有專制和侵略的血液。這正與馬克思主義中鬥爭和專政的學說相吻合。再加上第一次世界大戰的外在條件，於是一九一七年的俄國大革命遂產生了今日的蘇俄。其初她自知力量薄弱，不足抵抗外國的干涉，所以自一九一八年的《布勒斯特—立托夫斯克條約》（*Brest-Litovsk*

Treaty）至一九三九年九月以前，均極力裝作愛好和平的社會主義國家，但不久她就露出了本來面目，瓜分波蘭、侵占芬蘭，以及第二次大戰後的擴張侵略勢力，都是世人有目共睹的事。馬克思、恩格斯的著作中，能找出這種行為的根據嗎？蘇俄顛倒了馬克思主義的目的和手段，以高唱社會主義為掩飾而進行其對內專制、對外鬥爭的目的。這就是今日蘇俄文化的基本內容。

檢討了蘇俄文化之後，我們可以進而討論「中蘇文化交流」了，據筆者的認識，中共提倡這一運動的目的，可以一言以蔽之曰：全部否定中國的傳統文化和西洋的民主自由思想，而代之以全盤的蘇俄文化。不信，試看看：中共黨的組織是根據布爾什維克黨；政治的形態是依照蘇俄製造的「人民民主國家」的模型；在社會上進行著流血的清算鬥爭，也正是蘇俄革命時的殘酷手段。在教育方面，包括社會教育在內，都是以列寧、史大林、普列哈諾夫、列昂捷也夫等人的著作為教本，即使有中國人的著述，也都是絲毫不苟地依照著他們的「觀點、立場、方法」，再加上無數的蘇俄顧問的控制，這是一幅多麼可怕的文化征服的景象！我們時常聽到有七、八歲小孩子向父母鬥爭的事件，我們也看到了中共軍在韓作戰不畏槍炮的報導。為什麼一向尚仁愛、重孝友的中國社會竟變成父子夫婦朋友都成仇敵？為什麼講容忍、愛和平的中國人民會變成法西斯式的瘋狂強盜？這還不夠說明「蘇俄文化」對我們之「賜」嗎？既是「文化交流」，中國也應有「文化」流到蘇俄才對。但可惜中國祇有「封建的」、「殖民地的」文化，而秧歌腰鼓之類的「新文化」又不為「老大哥」所歡迎。於是中共就祇有將大豆、糧食、礦產，及一切工業原料等「中國文化」奉送給「老大哥」了。

從上面許多客觀的分析中，我們能找出「以其所無易其所有，交易而退各得其所」的原則存在於「中蘇文化交流」之間嗎？我們能不承認還是強將一國的文化全盤移植到別國去嗎？筆者認為我們至少可以得出下面三個結論：一、中共一面用「封建的」、「殖民地的」等罪名，將中國文化一筆勾銷，一面又用「帝國主義文化侵略」的罪名，嚴禁中國人民接觸到西方民主自由的文化，其目的無非是要造成中國的文化真空，一方面便於他們的暴民政治，一方面使蘇俄文化得以乘虛侵入。二、蘇俄利用中共傀儡政府強迫中國人民接受她的思想、文化、制度，其目的在於使全中國人民甘心情願地作她的奴隸、為她效命。這是史無前例的最徹底的全面的文化侵略。三、中共為了獲得主子歡心，不惜將中國人民的勞動成果、中國的工業原料，換取蘇俄製造的宰割人民、統治人民、剝削人民的奴化中國的思想、文化、制度等等。這正是中共今天所提倡的「中蘇文化交流」。

「群眾大會」的註解

——〈燕大師生集會控美文化侵略〉的分析

三月十六日《星島日報》登載了一篇〈燕京大學師生集會控訴美國文化侵略〉的電訊。恰好這裡面的主角有一位是我在母校時很熟識的教授。還有一位是我的同院同學，因此我對這篇報導更感興趣，反覆誦讀之後，的確已悟得其中三昧，不妨寫出來算作這篇報導的註解。

這篇報導中第一位發言的學生就是歷史系四年級的沈裕生同學，他本是一位標準的北京公子哥兒，上學期已加入青年團，平時他祇知嘻嘻哈哈的鬧著玩，我們從來不曾看見他有一秒鐘不高興過，現在居然在共產黨教育「感化」之下「悲痛得臉上流滿淚水，聲音也斷了」地控訴「美帝文化侵略」了。「新社會把鬼變成人」真是一點也不錯，我們且看看他的控詞：「學生沈裕生說：抗戰時期，他在內地看見國民黨貪汙腐化，因而對國家前途很悲觀。抗戰勝利了，他以為這是美國人打勝的，內戰爆發了，他覺得國家前途更沒有希望了，當時他住在上海，他愛看美國的黃色畫報、色情電影、變態心理的小說、雜誌，結果，他每天夢想著『美國生活方式』，他做了美國電影的俘虜，他看見《魂斷藍橋》影片裡女主角死在車輪胎底下之後，覺得這樣死去很有詩意。有幾次他看見汽車過來就想撲過去。」更妙的是他最後一段，他說：「如果沒有共產黨、毛主席，我不是昧了良心去做不是人幹的勾當，就是死在汽車底下了。如果中國青年都像我這樣，帝國主義要滅亡中國就不必費一槍一彈了。」現在我們不妨分析一下他的妙論。他前面幾句話是說國民黨腐化，這與美國無關，且不必管。接著他說抗戰勝利他以為是美國人打的。當然他現在已明瞭抗戰勝利是「蘇俄和中國共產黨的功勞」了。這最多也祇能說是他個人「當時」糊塗，不辨是非，不能說是美國文化侵略，也可以撇開不論。能算得「文化侵略」的，當然祇剩下「愛看」美國黃色雜誌、色情電影和變態心理的小說等等罪狀了。是的，美國那些低級趣味的刊物、小說、電影等的確產生不良的影響。為了社會的健全，我們應該予以禁止。但那些祇是美國輸入中國的「文化」的極小部，而且也不是美國政府有意如此，似乎不能因此肯定「美國文化侵略」吧！僅就電影一項而言，美國也還有不少有意義有價值的作品。記得北平未「解放」前映過一部《青山翠谷》的美國片子，其中描寫煤礦工人的生活，我的幾位共產黨朋友（那時是地下工作者）看後也讚美不已。他如《居里夫人傳》、《亂世孤雛》等也都是很好的影片，較之蘇俄的英雄主義片子《大彼得》等似乎還要勝一籌呢！要知美國製片商人並不是為了中國觀眾，主要的還是以美國觀眾為對象，再說運片子到中國來的也可能是中國人，上演的是中國的戲院，「愛看」的是中國人，若一定要追究責任，恐怕也不應完全由「美帝」擔負吧！中國本身的電影、刊物、小說不是有更多的下流作品嗎？若說這是受帝國主義的影響，那麼請問《金瓶梅》是受了誰的影響？各種各樣的《金瓶梅》圖畫是受了誰的影響？狐精鬼怪的筆記小說又是受了誰的影響？即使我們承認「美帝萬惡」，我們還要看看蘇俄怎麼樣。勝利後紅軍在東北的公開暴行，「解放」後蘇俄「顧問」在各地的暴行，豈不是活生生的街頭色情戲嗎？再看下去沈同學說得更妙，他說他看了《魂斷藍橋》之後，幾次看見汽車來就想撲過去。這太幼稚得可憐了，我真無法想像沈同學怎麼會說出這樣的話。燕京大學當局怎麼會不加考慮地發出這樣的報導，中共的報紙上又怎麼會發出這樣的消息，更令人驚異的是這樣丟人的話，中共還視若至寶，竟向外國宣傳。我們從來沒有聽見或看見過任何人因看了美國電影撲車而死。就是沈同學自己也不過「想想」而已，並不曾真的「撲過去」。最後他畫龍點睛地指出：「如果沒有共產黨、毛主席，我不是昧了良心去做不是人幹的勾當，就是死在汽車底下了。」這一套大家早已領教過了不必分析。不過很遺憾的是沈同學還不夠坦白，未曾說出他究竟要做什麼樣的「不是人幹的勾當」。我們退一萬步說，即使沈同學真是為「共產黨、毛主席」所拯救，但千百萬善良的人民卻在「共產黨、毛主席」到來之後，或死於飢寒或喪於酷刑，這較之「自願」的、「富詩意」的、「向汽車撲過去」不知要慘到多少萬倍。「為人民服務」的沈同學為什麼祇想到自己，不想到別人呢？但是仔細一想，我們是能夠諒解沈同學的，沈同學是青年團員，他必須服從組織，遵行導演所安排好的一切動作。團員們在電影裡、戲臺上的痛哭流涕原是司空見慣的事。

我的另一位熟人是歷史系教授聶崇岐先生。聶先生是山東人，性極耿直。他在燕大畢業後並未留學或入研究院，完全靠自己努力才獲得教授的地位。他對歷代官制及宋史的研究方面造詣很深。我最初看到他這樣直性人也居然控訴美帝文化侵略，真大吃一驚，但我反覆研究了他的控詞後才恍然大悟，電文上在介紹聶先生時明明說道：「歷史系教授聶崇岐在一九四八年二月曾在所謂平津十八教授呼籲『美援』汙衊中國共產黨的公開信上簽過名。」原來聶先生是因為「誣衊」了中共而被迫當眾坦白悔過的。不信看他的控詞中根本就沒有提到美國文化侵略的字樣，祇是在痛罵自己「引狼入室」，「背叛人民的賣國行為」。更奇怪的是他說：「我現在才明白呼籲『美援』就是呼籲美國幫助蔣介石屠殺中國人民，摧殘解放事業。」難道聶先生簽名的時候還不知道美援是援助蔣介石消滅共產黨嗎？這可見聶先生是不得不說話而又無話可說，才逼出這樣不著邊際的「控詞」來。

其他兩位控訴者我都不認識，不一一加以評論了。不過其中有位朱元珏女同學的控詞頗堪玩味。她說她以前認為說美國什麼都不好、太不公平了，至少她在燕大讀解剖學是靠美國的。但她現在覺悟了，所以她「痛哭失聲」地說：「這是什麼話呢？假如有人殺了我爸爸，留下一把刀子，我怎能說，兇手畢竟不錯，他還送了這一把刀子給我。」妙哉！她居然把燕大比作美國侵略中國的武器了。但她卻說不出燕大這把「刀」究竟殺過哪些「爸爸」。若依照朱同學的口吻看來，好像她學得了解剖學就是為了要殺她的父親。這真使人懷疑，因為她曾說過她之對於美國有好感完全是受了她父親的影響。那麼是不是中共要她解剖她那受了「美帝文化侵略」的父親呢？

看了這些膚淺、幼稚、可笑的戲劇表演之後，我們能被感動嗎？我們能因而深恨「美帝文化侵略」嗎？我們不能不承認在中共統治之下，實在是不但沒有說話的自由，而且還沒有不說話的自由。同時，我們也更進一層地瞭解了共產黨的欺騙、造謠和顛倒是非的本領實在到了可怕的程度。這次控訴會是發生在中共「接管」燕大不久之後，其意義極為明顯：要吃共產黨的飯就得聽他的話，受他的管。作奴隸也不是一件容易的事啊！但共產黨這一次把戲是否成功了呢？我敢說是徹底的失敗了，其所得的效果恰恰相反。很顯然的，中共命令燕大開控訴會的另一意圖就是要燕大的師生工友們指出燕大這把「刀」有多少罪過。但許多控訴者雖力竭聲嘶地叫囂也祇能勉強說出那些不成理由的鬼話，而對「燕大侵略」的罪狀卻找不出半個字。這一鐵的事實告訴我們說，即使像中共那樣的謊騙專家，也造不出燕大的罪狀。美國在華創辦的第一個有名的大學都沒有任何「侵略」罪狀可尋，其他所謂「文化侵略」也就可想而知了。一切聰明的造謠者都要在自己所造的謠言裡露出馬腳來。聚蚊可以成雷，畢竟是蚊不是雷。謠言造得再妙，也畢竟是謠言，不是事實。

最後，我還要給共產黨這一套騙人的玩意兒尋出一個娘家來。共產黨每當要強姦民意的時候總歡喜用開大會的方式，預先由幕後人導演如何一個個的發表意見。即拿燕大這次控訴會為例，我們就可以讀到：「大會主席蔣蔭恩教授在致開會詞時說……學生沈裕生說……學生朱元珏緊接著上去控訴，她說……歷史系教授聶崇岐沉痛地說……西語系教授黃繼忠說……。」這一套公式是從哪裡學來的呢？說來可笑，他們是從《水滸傳》上「學習」到的。中共一向自比於歷史上的盜匪，這倒不必奇怪。讀者不信且看我有文為證：宋江在梁山泊上一直覬覦著晁蓋的第一把交椅，及晁蓋攻打曾頭市被史文恭射死，宋江本可以名正言順地繼位了。不料晁蓋臨死時卻當眾對宋江說道：「賢弟莫怪我說，若哪個捉得射死我的便教他做梁山泊主。」這一來宋江的第一把交椅又坐不成了。後來史文恭為盧俊義所擒，宋江無法乃與吳用狼狽為奸，強借手下弟兄的意思以達到目的。下面便是《水滸傳》第六十七回最後的一段：「吳用又道：『兄長為尊，盧員外為次，皆人所服，兄長若如是再三推讓，恐冷了眾人之心。』原來吳用已把眼視眾人，故出此語。祇見黑旋風李逵大叫道：『我在江州捨身拚命跟將你來，眾人都饒讓你一步，我自大也不怕，你祇管讓來讓去假甚鳥，我便殺將起來各自散伙。』武松見吳用以目示人，也上前叫道：『哥哥手下許多軍官都是受過朝廷誥命的，他祇是讓哥哥，如何肯從別人。』劉唐便道：『我們起初七個上山，那時便有讓哥哥為尊之意，今日卻讓後來人。』魯智深大叫道：『若還兄長要這許多禮數，洒家們各自撒開。』」讀者們能說我這個證據不充分麼？我們不要為「某某痛哭流涕的說」之類的鬼話所欺騙，我們要記住那是因為「吳用把眼視眾人」的緣故。

我的一點期望

今天是《自由陣線》創刊兩週年紀念日。回想兩年前的今天正是中共氣焰最盛的時候，也是中國歷史上最黯淡的日子，和中國人民苦難的最高峰。但是《自由陣線》卻正是這樣惡劣環境下的產兒，而且還是以中國民主自由勢力的喉舌姿態出現的，象徵著中國社會的新生，這的確是有著絕大的歷史意義的！

關於《自由陣線》本身的進步及其對中國民主革命運動的貢獻，社會已有公論，用不著我來說什麼了。我今天所要說的，祇是個人對它的一點期望而已。這兩年來分散在海外各地的中國反共自由人士雖已在自覺地日趨團結中，然而，一個真正具體的自由陣線卻還沒有堅強地建立起來，這不能說不是一件非常遺憾的事。因此，促使這一偉大陣線的早日降臨，這應是《自由陣線》當前最迫切的任務了。由於它已往的成績表現，我們深信它必然能夠勝利完成這一任務的。不團結是不能革命的，在面臨著極強的敵人的今天，團結的重要性更千百倍於往昔，我們慶賀《自由陣線》兩週年的生日，我們要為反共大團結的自由陣線催生！

輯二

一九五二年

胡適思想的新意義

近來閱讀共產黨的尾巴報紙，知道國內正展開了「胡適思想批判」的運動。最近幾十年來中國的社會，變動得太快了。「五四」時代的胡適思想還是中國青年（包括毛澤東在內）的指南針。曾幾何時，如今已成為清算鬥爭的對象；這當然更足以證明中共的確是太「進步」、太「革命」了。

中國不幸，這幾十年來一直在極權分子的操縱之下。無數無恥的文人毫無真知灼見，他們的筆尖老是跟著統治者的利益方向轉，或者投時人之所好，亂造謠言。因此，不僅統治者要獨裁，就有「學者專家」們替他尋找理論根據；就是所謂「革命家」要找革命目標，也有許多人毫不負責任地給他們閉門造車。胡先生說得好：

「今日所謂有主義的革命，大都是向壁虛造一些革命的對象，然後高喊打倒那個自造的革命對象，好像捉妖的道士，先造出狐狸精山魈木怪等等名目，然後畫符唸咒用桃木劍去捉妖。妖怪是收進葫蘆去了，然而床上的病人仍舊在那兒呻吟痛苦。」（見〈我們走那條路〉一文）我們今天看看：中國共產黨在大陸上的一切作為，真不能不佩服胡先生的遠見。儘管最近數年來胡先生表現得太消沉、太保守了。然而，從他最近對《自由中國》事件的態度來看，在消極方面，他仍然不失為一位自由主義者。而他反共意志的堅強，則是更值得我們景仰的。他是中國反對共產主義最早期的理論家之一；至於他在抗戰前夕，當蔣廷黻、吳景超、錢端升這一批人力捧蔣介石獨裁的時候，毅然不屈不撓堅持民主主義到底，尤表現出一位自由主義大師應有的風格。

一個人的行為是受著他的思想的指導的。胡先生的思想究竟是什麼？在今天大家似乎已很模糊了。前些日子曹聚仁先生在〈胡適批判〉的短文中，對胡先生學術思想與思想方法論已有了很公允而適當的評介，但對於胡先生的政治思想和思想根源及其價值則未有明確的說明。所以，一般人祇能得到一些偏而不全的印象，而不能窺見胡先生思想體系的全部。無論我們是贊成或反對某一家的思想學說，首先我們便必須徹底瞭解它。中共今天想在中國智識分子的思想中挖除胡先生的影響，但他們卻從不敢把胡先生的思想重述一遍讓人們去批判。而祇是造成一種「一犬吠影，百犬吠聲」的情況，欺蒙世人或斷章取義以誣陷之。我今天第一步就是要把胡先生思想忠實地介紹出來，然後再予以公正的評價。

我想胡先生自己對他的思想的介紹應該是比較可靠的。在〈《胡適文選》自序〉（介紹我自己的思想）中他說道：「我的思想受兩個人的影響取大：一個是赫胥黎，一個是杜威先生。赫胥黎教我怎樣懷疑，教我不信任一切沒有充分證據的東西。杜威先生教我怎樣思想，教我處處顧到當前的問題，教我把一切學說理論都看作待證的假設，教我處處顧到思想的結果。這兩個人使我明瞭科學方法的性質與運用。」胡先生在這兒所提到的兩位學者，一個（赫氏）是十九世紀的進化論（達爾文主義）的大師，科學思想的擁護者和發揚者。另一位呢？則是（杜氏）當代實驗主義的大師。赫胥黎是當時神學最有力的反對者，他公開否定世界上有什麼超人的、絕對的神祇或精神支配著一切；反之，一切都是從按步就班，逐漸進化中而來的。赫氏的理論是有著自然科學和社會科學的新證據支持著的，所以，他們（同時還有斯賓塞〔Spencer〕、海克爾〔Haeckel〕諸人）這派的學說獲得了普遍的承認，一直到二十世紀的實驗主義都還是繼承著它的一線餘緒。實驗主義創始於美國的詹美士（William James）和德國的史勒爾（Schiller），而大成於杜威（John

Dewey）。實驗主義是以進化論為基礎的。詹美士的實驗主義便建築在生物進化論之上。所以胡先生在批評辯證法時也說道：「辯證法是出於黑格爾的哲學，是生物進化論成立以前的玄學方法。實驗主義是生物進化論出世以後的科學方法。這兩種方法所以根本不相容，祇是因為中間隔了一層達爾文主義。」因此，如果照胡先生的說法，實驗主義還是比辯證法更為進步的科學方法論呢！今天共產黨欲以落後的辯證法打倒進步的實驗主義，在那兒狂吠著要清算胡適思想，豈不是一件極其荒謬的事嗎？

胡適思想的來源既明，我們便可以進而探討他的思想在中國的具體表現了。人人都知道胡先生是中國文學革命的最先發難者，又是「五四」新文化運動的主要領導人。他之所以能這樣做，完全歸功於此種進化論的哲學的運用。因為他相信歷史是進化的，所以他敢提出「歷史的文學進化觀」，找到了文學革命的正確而有力的根據；又因此，他才敢在《中國哲學史大綱》上介紹祖孫研究法（又稱歷史的研究法）的治學方法，不僅注重一家思想的淵源，並且還要注意它的影響。姑無論胡氏本身的學術成就如何，這幾十年來中國學術界的創造力得以如此蓬勃，追源溯始，實不能不歸功於胡先生的科學方法論。又因為他受了赫胥黎氏「拿證據來」這一句話的影響，所以他極力反對任何權威的壟斷，而以客觀的證據為依歸，絕不輕信任何沒有證據的事物。

中共自占大陸以來，常喜自詡為「進步的國家」，我並曾親自聽見一位中共要人說：「中國的本質已比美國進了一步。」費孝通在《我這一年》的小冊子上也說道：「在我們開步走的時候已超過了他們（指美國），何況他們每天都在倒退呢。」（大意如此，因案頭無原文，無法引徵）我一向對這種誇大狂的論調發生嚴重的懷疑。究竟「進步」也者是指什麼而言呢？是指工業建設嗎？農業生產嗎？政治民主的程度嗎？一般人民的文化水平嗎？這些，我們不是有意「滅自己威風」，其實中國比美國還差得遠呢？不僅中國比不上美國，就是蘇俄目前也還不能望美國的項背。當然，我絕對相信我們終有一天會趕上甚至超過美國的，我們也深信五千年悠久的文化是有其存在與發揚價值的。然而，這並不能掩飾我們現在的落後。中共開口閉口都是「進步」，而一切報章雜誌也天天在宣傳著這兒如何「進步」，那兒如何「進步」的新聞，但在一切物質的條件方面卻都比別人落後得多，這種「進步」究竟作何解呢？中共所謂比美國進步的原意是指著國家性質而言的。那就是說：中國已經是在「工人階級政黨」領導下的「四大階級民主專政」的國家了，而美國尚祇是「資產階級專政」的國家，所以，就歷史的進程來看，中國是比美國「進步」。對於一般無知的人們，這種說法似乎也是「言之成理，持之有故」，但是，稍微有點思想的人卻不能這樣容易受騙。共產黨的極權專制的政治在今天已是三歲小童所熟知的事實了，用不著我來爭辯。我覺得應當明確指出的倒是共產黨人在這兒所顯示的荒謬絕倫的自相矛盾。誰都知道唯物論是共產主義的哲學基礎，但是共產黨人竟撇開我在上面所舉的一切物質條件而妄談其「國家性質」的烏有先生，站到極端的主觀唯心論上去了。大家想想這不是太可笑了麼！我們讀了胡先生的文章便可對這個問題徹底瞭解了。胡先生說得好：「文明不是攏統造成的，是一點一滴造成的。進化不是一晚上攏統進化的，是一點一滴的進化的。現今的人愛談『解放』與『改造』，須知解放不是攏統解放，改造也不是攏統改造。解放是這個那個制度的解放，這種那種思想的解放，這個那個人的解放：都是一點一滴的解放。改造是這個那個制度的改造，這種那種思想的改造，這個那個人的改造：都是一點一滴的改造。」（《胡適選集》，頁六八：〈新思潮的意義〉）這是三十五、六年以前的話了，卻好像是今天才說的一般。我們目睹中共的一切作為，我們不得不承認中共祇有騙人的「攏統解放」和「攏統改造」，而無一點一滴的進化，我們更不能不敬佩胡先生眼光的銳利與深刻。

緊接著，胡先生又發表了一篇有名的文章，那便是〈問題與主義〉。胡先生深感當時「目的熱」、「方法盲」的危險，所以他勸人「多研究些問題，少談些主義」。他認為我們應把畢生學問用於解決每一個實際問題，絕不能依賴於抽象的主義的法寶，使主義成為「蒙蔽聰明，停止思想」的障礙物。所以他說：「一切主義一切學理都該研究。但祇可認作一些假設的（待證的）見解，不可認作天經地義的信條；祇可認作參考引證的材料，不可奉為金科玉律的宗教，祇可用作啟發心思的工具，不可用作蒙蔽聰明，停止思想的絕對真理。」（《選集》，頁五〇）胡先生已看到這種危機，他不得不大聲疾呼道：「被孔丘、朱熹牽著鼻子走固然不算高明；被馬克思、列寧、史大林牽著鼻子走也算不得好漢。我自己絕不想牽著誰的鼻子走。我祇希望以我的微薄能力，教我的少年朋友們學一點防身本領，努力做一個不受人惑的人。」不料今天中國人無論自願的或強迫的，都被「馬克思、列寧、史大林牽著鼻子走」了。偌大的中國竟向蘇俄「一面倒」，這不僅是中國人民的奇恥大辱，中國文化的大不幸，同時也是文明人類的最大諷刺。我們何以要受人惑呢？何以要讓別人牽著鼻子走呢？簡言之，就是因為我們沒有獨特的人格，也就是不把自己當作社會上的人。這便需要今天人人所咒罵的個人主義來醫治了。現在一般人都罵個人主義是自私自利的，是資本主義的必然產物，這真是沒有歷史知識之談。兩千多年前孔子已教我們「反而求諸己」。陸象山也要我們「堂堂地做一個人」。這些都是健全的個人主義的人生觀。誰能說這種思想便是自私自利主義，是資本主義的產物呢？胡先生提倡易卜生主義也正是要我們做一個真正的人。我們要有益於社會，要「為人民服務」，首先便得把自己鑄造成器。鐵鑛是不能製造器具的，除非它自己先成為一把有用的斧頭。胡先生說：「真實的為我便是最有益的為人。把自己鑄造成了自由獨立的人格，你自然會不知足，不滿意於現狀，敢說老實話，敢攻擊社會上的腐敗情形。」他極力推崇易卜生的名言：「世上最強有力的人就是那最孤立的人。」中共不敢孤立，所以要「一面倒」作蘇俄的奴隸；無恥的文人們不敢孤立，所以要「靠攏」，作中共的尾巴；中國之所以不能強，就壞在「不敢孤立」這四個字上。在民主革命前夕的今天，我們從事民主自由運動的人尤其應該深刻地反省一下，我們是否有自由獨立的人格？我們是否有不怕孤立的精神？我們不能把自私自利和健全的個人主義混為一談。一切祇為小我打算，沒有獨立人格的人，其實乃是自私自利的人，絕不是個人主義者；是民主革命的對象，絕不是真正的民主主義者。這是我們今天所必須分辨清楚的。胡先生深恐人們誤解個人主義的真精神，特地提出不朽的問題為個人主義註腳。他說：「個人——小我——是要死滅的，而人類——大我——是不死的、不朽的，叫人知道『為全種萬世而生活』就是宗教，就是最高的宗教，而那些替個人謀死後的天堂淨土的宗教乃是自私自利的宗教。」（〈《科學與人生觀》序〉）試看這是何等大公無私的偉大精神！胡先生更有幾句最有意義的話值得我們深思熟慮：「現在有人對你們說：『犧牲你們個人的自由，去求國家的自由』，我對你們說：『爭你們個人的自由便是為國家爭自由！爭你們自己的人格便是為國家爭人格！自由平等的國家不是一群奴才建造得起來的！』」今天中共要每一個中國人犧牲自由和人格，卻說這是為了爭取「國家、人民的自由和人格」，我們能夠相信嗎？我們能夠容忍嗎？

胡先生還有一篇惹起了很大風波的文章，叫做〈我們走那條路〉。在這一文中，他提出貧窮、疾病、愚昧、貪汙和擾亂為中國的五大敵人，招來了不少的反對和指責的聲浪。這兒我姑不管這五大敵人是否正確，因為這是一千零一夜打不完的筆墨官司。我所要指出的倒是他在這一篇文章中所指出的革命（Revolution）和演進（Evolution）的異同。今天一般人都視改良主義是和革命相反的，中共之展開對改良主義思想的清算，也正是要人們都跟著它的「革命」路線走。改良與革命究竟哪一條路好，這是一個事實問題，而不是理論問題。我在「民主革命論」之四（〈論革命的道路〉）一文中已有詳盡的分析，並認為它二者是近代民主革命的兩條殊途同歸的道路。胡先生的見解亦復如此。他說：「革命和演進本是相對的、比較的，而不是絕對的相反的。順著自然變化程序，如瓜熟蒂自落，如九月胎足而產嬰兒，這是演進。在演進的某一階段上，加上人力的演進，產生急驟的變化；因為變化來的急驟，表面上好像打斷了歷史上的連續性，故叫做革命。」基於此一正確的觀點，胡先生便毅然而然對當時甚囂塵上的共產主義「革命」表示極大的懷疑，並且堅決加以反對。他肯定：「中國今日需要的，不是那用暴力專制而製造革命的革命，也不是那用暴力推翻暴力的革命，也不是那懸空捏造革命對象因而用來鼓吹革命的革命。在這一點上，我們寧可不避『反革命』之名，而不能主張這種種革命。因為這種種革命都祇能浪費精力，煽動盲動殘忍的劣根性，擾亂社會國家的安寧，種下相殘宰、相屠殺的根苗，而對我們的真正敵人，反讓他們逍遙自在，氣焰更凶，而對於我們所應該建立的國家，反越走越遠。」在這幾段話中，我們可以看出胡先生絕不是像中共所誣蔑那樣，是一個保守主義者，是阻礙社會進步的人，不過他卻是反對今天共產黨這種以暴易暴，捏造革命對象的偽革命。胡先生所預料的浪費精力、盲目殘忍、殘害、屠殺種種惡果，不幸現在在共產黨統治下都一一實現了，而且遠超過胡先生當時想像之外。由此可見，這不僅不足以說明胡先生的落後，倒證實了胡先生眼光的深遠與銳利。我們如能平心靜氣地將胡氏以前的言論拿來和中共對他的批判文字相印證、比較，是非曲直就不辯自明了。

胡先生最近幾年來很少寫文章，在〈自由主義是什麼〉、〈兩種不同的政黨〉諸文中，特別強調「容忍反對派的自由」一點，也還是根據他一貫的哲學思想發揮出來的，由於篇幅有限，我不在這裡多所引徵了。從上面所述各點，我至少已可以窺見胡先生思想的全豹。胡先生何以為極權主義者所痛恨，特別是為中共所不容，在這裡已可以找到明確的答案。

宣傳、欺騙是一切極權主義者所必具的條件，胡先生注重「證據」，不相信一切沒有證據的事物，使極權分子無所遁其形，他們怎能不深惡痛恨他呢！

總結起來，我們大體可以這樣說：胡先生的思想是偏於方法論的。他祇教我們如何去做一個「不受人惑的人」。但積極方面他並沒有告訴我們真理在哪兒，這或許是因為他「不願牽著別人的鼻子走」的緣故吧！至於他的健全的個人主義人生觀，消極方面，在今天仍有極大的價值。但僅憑這一點為反共的理論，顯然是不夠的。時代是限制英雄的，這不該是胡先生的責任，而應是我們這一代人的任務了。胡先生雖是一位和平改良主義者，贊成一點一滴的改革，但是他的改良主義並不是與革命相反的、聽其自然的進化論，所以他提倡「自覺的改革」以通向自由民主的理想。胡先生今日反共立場的堅決已十足說明了他的革命熱忱，而他對國民黨反民主、反自由作風的厭棄又恰恰是他那「自覺改革論」的具體表現。熔革命與改良於一爐而又能隨時隨地運用適當，這正是一位偉大的自由主義大師應有的風格。僅此一點已足使我們敬佩不置了。至於他的實事求是的精神在今天更是有重大的意義。

消極地，它既可以揭露中共所用以自欺欺人的「進步」的本質；積極地，它更叫我們怎樣去創造一個新的社會。它告訴我們說：空談主義祇能是害國、誤國的；祇有解決一個個具體的問題才是真正推動社會前進的起脚點。

由此可見，中共是有一切理由要清算、鬥爭胡先生的思想的。因為這種思想如果能普遍傳入中國人的腦海中，中共政權怎能站得住呢！當胡先生的思想被迫害與被摧殘得最激烈的時候，我們從事民主自由運動的人是絕不容忽視「胡適思想批判」這一問題的重大意義的。胡先生的思想中仍有許多是反共的利器（雖然是消極方面居多）。我們應有「歷史的研究法」的眼光，不可輕信別人，特別是最善造謠的中共的話；不可忽略胡先生的思想在現階段的新的進步意義及其對中國的影響。胡先生的思想絕沒有什麼錯誤的地方，反之，它還是真正的闡揚民主自由的典型思想，不過有些不夠的地方罷了。怎樣補其不足，完成這一完整的民主自由的思想體系，乃是愛好自由的中國人民的共業，是我們每一個人所應盡的迫不容緩的義務！

一九五二年二月五日深夜

方生的快生！未死的快死！

沉默了很久的民主自由運動，自張葆恩先生在本刊[1]九卷二期上發表了〈向前看，向外看〉一文後，又激起了一個新的浪花。接著，我們又讀到了易非先生的〈一代天驕，千古罪人〉和柳惠先生的〈誰將覆滅？誰將不朽？〉兩篇響應的文字。我們不能不坦白地承認，在海外新勢力運動日益消沉的今天，這類刺激性的文字的確是一劑起興奮作用的適時良藥。我仔細讀了這幾篇文章，除了無條件地對

1 編按：即《自由陣線》。

張、易、柳諸先生的看法表示百分之百的贊同外，心裡也感到有許多話，如鯁在喉，不得不吐。因此，我也把我的一得之愚寫在這裡，算作這一浪花中的一個小小的泡沫。

我們稍察古今中外的歷史，就可以知道任何革命，都是生死交替，新陳代謝的運動；是一切方生的新思想、新制度、新作風的開始，也是一切未死的舊思想、舊制度、舊作風的終結。而革命運動之所以難產，甚至流產，也正是因為方生的，必然要生的新事物，迷戀著舊的，不快點生下來；未死的，必然要死的舊事物，卻又拖住了新的，不快點死過去。方生的與未死的交纏在一起；終於，該生的既沒有生，該死的亦沒有死。我們當前民主革命運動的最主要癥結，便恰恰發生在這裡。張葆恩先生說得最明白了：

「向前看」，才有生命；「向外看」，才有同志。

惟有「向前看」才能把握歷史創進的中心，把運動的浪潮逐步推移。惟有「向外看」，才能激發鬥爭的活力，吸取生命的新機，把運動的範圍逐步擴大。否則，一切迷戀舊歷史，拖著枯殘的屍骸不肯放手的，或把圈子越劃越小，把門愈關愈緊的保守作風，都是沒落的想法、自殺的行徑。

「迷戀舊歷史，拖著枯殘的屍骸」不正是方生的迷戀著舊的嗎？「圈子越劃越小，門越關越緊」，不正是未死的拖住了新的嗎？同時，張先生又告訴我們說：「目前在海外從事民主自由運動的人，不容否認的是有若干與舊黨派有關係的人物，而且這類人在現階段又幾乎是居於運動的主流。」這樣看來新運動中的舊的成分是遠超過了新的，甚至舊的還是主體呢！再就易非先生和柳惠先生所列舉的一些現象來說，如「炫耀舊歷史」、「坐享其成」、「勾心鬥角」、「排擠傾軋」、「挑撥離間」、「攔路狗」、「害群馬」、「寄生蟲」等等，也無一不是舊時代、舊傳統的殘餘；是民主革命所要消滅的一些對象。

我們既認清了海外民主自由運動所遭遇的主要困難祇是在於：方生的迷戀著舊的和未死的拖住了新的，那麼，我們對於整個運動的遠大前途就不應有任何懷疑了；儘管眼前以至在最近的未來我們所看到的仍是一片令人深惡痛絕的怪現象。為什麼呢？理由很簡單：近代的中國民主革命史已經很清楚地告訴了我們，在內憂外患交迫下的中國人民，一世紀以來一直在摸索著民主自由的道路。這也就是說中國舊社會的死亡和新社會的創建並非自今日始，至少也該追溯到辛亥革命。雖然民國以來民主並未曾真正的降臨，而從表面上看，袁世凱比滿清專制，蔣介石比北洋軍閥更專制，到了共產黨，專制主義竟發展到最高峰，但是，若從實質上做深一層的觀察，則問題絕不如此簡單。我們必須認清，中國人民對民主自由的認識，及其追求此一理想的願望，顯然是愈來愈為深刻而迫切了。誠然，由於中國舊社會積病太深、積惡太多，此一生死交替的過程也就格外顯得緩慢與痛苦——方生的太難產了，未死的也太不容易斷氣。然而，誰能否認民主革命是近代中國的必然的歷史潮流呢？又誰能否認近數十年來舊社會已在不斷地死亡，新社會已在逐漸地創造中呢？歷史演進到今天，反民主的潛力已經發揮盡了，中國共產黨的力量祇是有形的、看得見的強弩之末而已。難道我們還有什麼理由可以懷疑中國民主革命成功的必然性嗎？

我們肯定了此一大前提，我們就大可不必為著眼前這些暫時的黑暗現象，而對整個運動的前途抱任何悲觀心情了。為什麼說眼前的黑暗現象是「暫時的」、「局部的」呢？前面我已指出，推遠一點看，中國的民主自由運動應該從辛亥革命算起，若照張葆恩先生的看法：「就表面看，民主自由運動是最近三年來的新運動，其實，遠在抗戰時期，尤其是抗戰勝利後，此一運動已開始孕育，初非自今日始。」可見此一運動的淵源至少也要向上推移十餘年。若再往下看，此一巨大的社會徹底改造運動很可能是一個百年以上的大業。法國革命至今已一百餘年仍未達到

「自由、平等、博愛」的理想；英國近代民主革命至少也已經歷了三個世紀（十七、十八、十九三個世紀）。這樣看來，海外三年來的民主自由運動在整個運動的過程中，不祇是極其短促的「暫時」嗎？再就運動的廣度來說，目前一切病態也都祇能算是「局部的」。因為，無疑地，這是一個全中國人民自救的革命事業，而絕非少數英雄、偉人的「救民」行為。由於客觀環境的限制，運動的具體表現目前祇能限於海外少數地區，然而未來的發展重心顯然是要在中國大陸，在四萬萬五千萬的中國人民。除非是妄人，否則誰也不能相信，僅僅在幾百萬人口的海外兜圈子，運動就會有什麼前途可言。因此，雖然運動的大旗是在海外正式揭起來的，但，海外這些很少數人卻不能據此而夜郎自大，以為要搞這個運動非我莫屬。其實，歷史是最無情的，而革命時代的歷史則尤甚，昨天你的行為還符合革命的利益，你還是革命的領導者，然而，今天你卻自覺地或不自覺地，成為革命前途的「攔路狗」了，那麼你立刻就會被革命的輪子輾斃或踢開的。「身分、歷史、關係」在革命中就會完全失去了作用，此所以革命成功時的領導人物往往不復是革命的發動者。馬丁路德是宗教革命的發起人，但後來竟成為德國革命的仇敵，法國革命中的領導者的變換更有如「長江後浪催前浪」一樣，至於「共產主義革命」，此種表現尤足令人驚駭，今天的「領袖」明天就可能是清算鬥爭的對象的。這些往事真是從事革命運動者的一面最清楚的鏡子，在今天，我們更是應該知所警惕了！

話說回來，我絕不是有意貶抑海外民主自由運動者的貢獻。中國民主革命到了今天這樣危機深重的關頭，實是特別需要一個思想最進步、襟度最壯闊的新勢力來進行領導。這樣的新勢力，現在在台灣不可能發芽，在大陸更無法生根，祇有較為自由的海外還能容許它的存立，此時此地，正是千載難逢的最好機緣。誰能掌握住此一機緣，為革命而努力，誰就必然是「一代天驕」了！

我也絕不是一個歷史定命論者。我雖然肯定了民主革命是近代中國必然的歷史潮流，但是如果沒有人的努力，此一潮流也可能永遠沒有實現的一天。但歷史畢竟是進步的，它既不會向後退，也不可能停止在某一點，苦難的中國人民絕不會永遠是被宰割的羔羊，他們一定能找到通向民主自由的光明大道！

問題是再清楚沒有了，舊的社會是必然要死去的，新的社會也一定要到來。中國民主革命的難產性，已使中國人民受了太多的痛苦。我們為什麼不讓未死的，也是必然要死的舊中國快點死過去；讓方生的，也是必然要生的新中國快點生下來呢？未死的是誰也挽救不了的；方生的是誰也阻擋不住的；袁世凱不行，蔣介石不行，毛澤東不行，我們是更不行了。逆著歷史的潮流，再巨大的力量都將化為烏有；順著歷史的潮流，再渺小的力量都將不可抗禦。我們應該走哪條路呢？我們能夠走哪條路呢？

這是就整個運動的前途來說的。若說到我們個人，那就更該痛自反省了。前面已經說過，眼前民主自由運動的主要癥結是方生的迷戀著舊的，未死的拖住了新的，而此一現象的具體表現則在於我們自身有許多未死的舊思想、舊作風，尚沒有完全死去，而方生的新思想、新作風也未曾建立起來。一方面，我們既走進了革命的陣營（無論動機如何）；另一方面卻又不肯放棄那些妨害革命的舊有的一切，這的確是一件很危險的事。積極地，這將阻礙革命的進程；消極地，也將毀滅了自己。我們終將因阻止不了革命的洪流，反而被它沖得無影無蹤。

這樣看來，「方生的快生，未死的快死」不僅是革命運動中所當採取的必要步驟，同時，此一原則更應在革命者個體之內積極地展開。這並不是使有舊思想、舊作風的人死去，倒是使他們新生，死去的祇是他們從舊社會中所獲得的那些該死而尚未死的舊傳統而已。當然，此種脫胎換骨的過程是痛苦的、緩慢的，但是天下何嘗有容易事！如果革命者人人能促始自身一切方生的快生下來，未死的快死過去，那麼，一個新生的社會的降臨為時便在不遠了。

海外從事民主自由運動的朋友們！我們絕不能空喊幾句口號，唱幾句高調，寫幾篇文章，當作革命的全部任務。其實我們離真正的革命還有老遠一段路程呢！我們的人數是如此的微小，我們的運動地區是如此的局促，我們所努力的時間是如此的短少，我們的成績更是如此的可憐。我們竟能以革命的主流自居了嗎？我們敢說革命運動「非我莫屬」了嗎？就算我們有了足以形成革命的領導力量，我們每一個人還得反躬自問：我們有革命的熱忱嗎？我們革命的目的純正嗎？我們本身的確比我們的敵人健全嗎？……我敢斷言：今天從事民主自由運動的每一個人的身上都還有許多舊東西沒有死過去；自身的生死交替過程尚未完成，更何能促使新社會上方生的快生，未死的快死呢？

歷史的突飛猛進，將要使一切「攔路狗」、「害群馬」和「寄生蟲」大驚失色的，他們馬上就會感到時代已不再屬於他們了。方生的不斷地在那兒生，未死的不斷地在那兒死。我們不是屬於方生的一面，就必然屬於未死的一面。這兒，才真正沒有中立的存在。我們沒有任何的理由為民主自由運動的前途而悲觀，我們卻有無數理由為我們自身在這偉大的運動中的生存與死亡而憂慮。我們幸而生當此偉大的時代，如果能把握機緣，促使一切（從社會到個人）未死的，亦即該死的與必然要死的快些死去；方生的，亦即該生的與必然要生的快些生下來，那麼，我們就是真的「向前看，向外看」了，就是「一代天驕」，也就會「不朽」；反之，便祇是「向後看，向內看」，祇是「千古罪人」，也祇有「覆滅」而已！

一九五二年三月二十日晨

放寬些子又何妨

心理學家告訴我們說，每一個剛剛出世的嬰兒都有「猿握」的本能。所謂「猿握」，就是雙手舉握一根槓子，可以使自己的身體懸空掛起而不致跌落下來。若果這種「猿握」的現象可以解釋為人的本性，那麼這個世界就真的要永無寧日了。

翻開一部人類的歷史，也可以說這是一部「猿握」的歷史：政治家握住政治權力不放；資本家握住經濟權力不放；宗教家握住「上帝」不放；思想家握住「真理」不放……各自以如自己的一切作為是絕對的真理，別人的則都是「異端」、「邪說」。但自近代的民主主義興起之後，西方社會上漸漸培養成一種寬容的風氣——宗教上容忍異端；文化上容忍多元的思想；社會上容忍不同的生活方式；政治上容忍反對派。造成這種容忍精神的先決條件則是每一個人、社團或國家都不得死握住自己所有的不放。資本家如果不肯放棄其既得利益，勞工生活勢必不堪設想；一黨一派若把握住政權不放，不讓大家都來「分一杯羹」，民主政治更是無從說起。

中國史上的「猿握」精神，在政治與文化方面都表現得非常明顯。我們的孟老夫子說：「能言拒楊、墨者，皆聖人之徒也」，儼儼乎那麼一副自以為是的衛道嘴臉！這正象徵著我們傳統的文化精神。

政治上，「家天下」的觀念極其強烈。無論是誰，一旦登了帝王的寶座，便為子孫做「萬世基業」的打算，把國家、人民當作一己的私物，除非是被另一個暴力推翻，否則至死也不肯放手。

中國近代談民主、說自由的歷史也不算短了，但是從執政的政黨、社團到個人仍舊是牢牢地被「猿握」精神所支配著。沒有誰有開放他自己的小圈子的勇氣和魄力。僅僅是不開放自己的領域倒還是消極的；積極方面，有些團體和個人且要去干涉別人的自由，不但把持自己的，還要把持別人的。最明顯的例子莫過於極權主義的共產黨了。它掌握了政權，控制了國家的經濟，統制著文化思想；這還不夠，它更要每一個人的生命、財產、自由，甚至情緒，都在它那個黨的籠罩之下。這和西方的寬容精神相差得太遠了！

有一首諷刺朱洪武的詩，說得非常有趣：「大千世界浩茫茫，收拾都將一袋藏；畢竟有收還有放，放寬些子又何妨！」

其實，帝王、英雄，以及一切不敢放寬的人都是眼光太狹窄了。他們何曾看到世界之大呢！一味愚昧地想抓住一切，結果將是一切都抓個空。在歷史上，我們曾看見過多少野心家征服世界的雄圖，但，而今都安在哉？辛稼軒說得好：「古來三五個英雄，雨打風吹何處是，漢殿秦宮！」再往深一層看，我們人類在這浩茫茫的宇宙中，真是太渺小、太可憐了，「放寬些子」又算得什麼呢！

方生方死，方死方生！
——答楊平先生的〈一個商榷〉

楊平先生：

三星期前《自由陣線》的編輯先生轉給我一篇文章，拜讀之後才知道是您對我〈方生的快生！未死的快死！〉一文有所商榷。本來早就打算答覆的，但一則事忙，二則《自由陣線》也未必立刻便有這許多篇幅，登載我們的論戰文章，因此才遲到今天，這是要請您原諒的！

首先，我感到萬分的慚愧，由於我行文不慎，竟致使您讀了我的文章後，「心頭上一陣煩亂」。顯然，我們之間的歧異是在於基本理念上的，這種直覺的不愉快之感，已充分說明了我們思想的距離。我反覆研讀了您的大作，一股發自我心靈深處的力量迫使我不得代表「中國舊文化」向您致最深的謝意！您是因為我的文章「似乎」有「否定舊文化」的意思，因而特地為「舊文化」作辯護。其實您真太過慮了，我那篇文字原非討論中國舊文化問題的，甚至根本不曾有絲毫涉及之處，它最大的罪名，也祇能如您所說的，是「可能引起一般讀者的誤解」而已。您何由而竟致如此杞人憂天呢？您之獲得此項結論過程是太艱難了——恕我不客氣地說，也是太脆弱了。我提出「方生的快生，未死的快死！」兩句口號，主要的是在指出目前民主自由運動中的某些惡現象（當然也是舊的）之必將死去，當然，我不能否認我在這兒所說的「生」與「死」未免有「籠統」之嫌，但是，在幾千字的短文中，我不相信誰能把「什麼該生」、「什麼該死」一一具體地舉出來。而且，也未必有此必要吧！我的文字中既找不出「舊文化」的痕跡，您就不得不借重別人的話來作橋樑了，於是您說我和「柳惠先生……譬如舊文化沒有完全被摧毀，新文化便無從建立，等於沙地不能蓋房子一樣」。但我的文章僅用過「舊中國」的字樣，這還是不能和「舊文化」混為一談，您又緊接著下一轉語：「一個國家的存在是靠其自身之文化精神的，所以艾群先生說舊中國自然是指的舊文化，這和柳惠先生的意見應該是一致的。」」好大膽的結論！在這一段推理中，您的每一個鐶鏈都是經不起分析的，您說所轉述的柳惠先生的話，其實完全是您自己的話，我曾查遍柳先生的原文（〈誰將覆滅？誰將不朽？〉），不僅沒有看到「舊文化」、「新文化」等詞句的蹤跡，而且連一個「舊」字都找不著呢！即使您所引證的話是真實的，您又憑什麼肯定柳先生的論調「自然」是和我的思想「一致」的呢？更有甚者，文化與國家是兩個絕然不同的範疇，二者的關係亦尚待探討，您又何能武斷地說「國家的存在是靠其自身的文化精神的」呢？

接著，承您賜給我一個「似乎」的罪狀，您說我「似乎有一個基本的假定：就是一切舊的東西都是惡的」，您沒有說明這個「似乎」從何而來，這似乎是您自己的「似乎」吧，我似乎不能承受這份「似乎」的。但，無論如何，您的字裡行間處處都在逼我攤牌，要我明確地表示對「舊文化」的態度。我於此實不能緘默了。談到文化問題絕非三言兩語所能盡的，我在這兒所能表示的，也祇是一種基本態度而已。第一個困擾著我們的問題，正是您所質詢我的：所謂「舊文化」「究竟是指的什麼」？這也是「最容易使人感到籠統的」。據我個人的瞭解：有的人把文化看作是學術思想，有的人甚至拿某一家的學說（如儒家）當作中國文化全部內涵；也有人將一二位學術史上的偉大人物（如孔子、孟子）象徵著整個的文化精神，更有人把某種玄學問題如氣節，當作中國的文化的精神，這種種觀點不僅偏狹而且膚淺。如果文化的意義祇止於這些僵死內容的話，我們將無法承認它還有多大價值可言。我個人的看法，文化不僅包含著一切僵死的學術思想（正統的與異端的）文物制度，而且還包括著創造此種學術思想、文物制度的有生命的根本精神；一句話，它是指著一個社會中絕大多數人們的生活方式、態度……而言的。這樣說來，我們討論中國舊文化時，不僅不能在正統派學者的經典裡或思想家的著述中引徵幾句話便算是中國文化的「精英」；我們也不能拿某些僵死的文物制度看作是我們的「俟之百世而不惑」的「國粹」，我們得考察幾千年來，中國人民的生活是怎樣的。在這個長期的生活傳統中，他們是受怎樣一種共同的精神支配著。祇有這樣，我們才可能真正的認識「舊文化」。基於我們對文化觀點的不同，我們對「中國舊文化」的態度，以及對未來的中國文化遠景所持的見解當然亦不能同於學究式的文化論者了。錢賓四先生對於文化的觀點是值得注意的，他說：「各地文化精神之不同，窮其根源，最先還是由於自然環境之分別，而影響其生活方式。再由生活方式影響到文化精神。」又說：「文化儼如一生命，他將向前伸舒，不斷成長。」（均見《中國文化史導論》的〈弁言〉）撇開他的文化起源論、發展觀不談，他所提出的文化全面性和生命性正是我們所應當承認的。由於文化是有生命的、是延續的，我們就根本無法全部「否定」它，我們祇能「揚棄」它，即除去它的不合時代性的部分，而保留它的適合新潮流的基本精神。但是怎樣來規定這個取捨的標準呢？在今天來說，我們祇能提出人人所熟悉的口頭禪：民主主義。我們今天的民主自由運動便是要將民主精神普遍化於社會的每一角落！這便是我個人對於中國舊文化及未來新文化創造的基本態度，就我個人智力之所及，尚不能想出比這更客觀、更合乎事實的新觀點。因為篇幅所限，至於什麼是民主主義的文化，便無法再加以闡釋了。

從這個態度出發，我們對於文化的「生」與「死」的問題便不致陷入機械論的錯誤了：以為必須「根絕了舊的一切，新的才能建立」，其中又有什麼「青黃不接的真空時期」。其實，自從人類有文化以來，祇有低級的文化暫時取高級文化而代之的事實，卻絕無什麼「真空」時期的。莊子說得最好：「方生方死，方死方生！」（〈齊物論〉）這兩句話，倒可以為我的「方生的快生，未死的快死」註腳。其實，我在那篇文章中也已說得明明白白，我說：「中國舊社會的死亡和新社會的創建並非自今日始」，又說：「誰能否認近十數年來舊社會已在不斷地死亡，新社會已在逐漸地創造中呢？」最後我更肯定地說：「方生的不斷地在那兒生，未死的不斷地在那兒死。」這些都不已說明了「生」與「死」之間並無任何「真空時期」嗎？斷章取義，畢竟是一種很危險的方法論呢！

您認為新的不一定好，舊的也不一定壞，這根本是不成問題的問題，我從來未曾拿新和舊為善惡的標準的。至於說到「所謂新的文化，也可能經不起歷史的考驗而垮下來」，頗嫌「籠統」，這「似乎」把文化和學術思想混為一談了，未知是您的原意否？

最後，您對革命與改良的看法甚為不當。您反對「翻天覆地的變革」，但您所舉的史實卻恰恰證明了「翻天覆地的變革」的必要性。法國革命是因手段過於殘酷而後果甚惡，但它的革命所追求的方向——民主，並未改變。俄國十月革命根本便是共產主義的極權復辟，它早已達到了「革命」的目的，一直到今天也絲毫未改變方向，我們怎能說它是「失敗」了呢？至於王莽和王安石的變法，正是史家公認的政治改革，如果它們真的是「翻天覆地的變革」，成功抑失敗，倒在未定之天呢！

末了，您提出了一個大膽的結論：「民主的革命必須謹守改良主義的原則」，這是大有問題的。革命與改良雖非絕對的相反，但卻不可否認它們是相對的相反。這兩個「矛盾」是怎樣「統一」起來的，還是一個亟待探討的課題。

因為這是論戰性質的文字，行文間未免有些「火藥氣」，本著容忍的民主精神，我想您是能夠原諒我的！

艾群　敬上

四月卅日

何故亂翻書？

有清一代，文人因遭文字獄而死者，不知凡幾。本來，滿族以一落後的部落，乘中國大亂，僥倖而有華夏，度德量力，都岌岌可危，自唯有採取鎮壓一途。康熙本人對漢學頗有研究，且精通西方的天文、曆算，故作風尚較為寬仁。及至雍正，因為他的帝位便是從陰謀中得來，兼生性又極狠毒尖刻，故事事猜忌，文字獄的風氣因而大盛。他的兒子——乾隆，學問既不如乃祖乃父遠甚，而附庸風雅卻又過之，他那一朝的文字獄，便來得更為細緻。

其實所謂文字獄，真實的固然很多，冤枉的亦復不少。舉其要者，如雍正時的翰林院徐駿詩集中有「清風不識字，何故亂翻書」之句，竟至於處死。查嗣庭為江西典試官，以《詩經》「維民所止」一句為考題，亦竟有人誣告為「維止」二字暗射「雍正」無頭，查氏父子皆得罪死。乾隆時則有：胡中藻「一把心腸論濁清」詩；徐述夔「大明天子重相見，且把壺兒擱半邊」詩，作者亦皆以之死。此外，如有人詠黑牡丹，有「奪朱非正色，異種也稱王」之句，都膾炙人口。文字獄的結果，雖然維持了表面的暫時寧靜，但漢人反抗滿族的民族主義火焰始終未曾息滅。

從我在上面所摘到的一些詩句來看，有的當然是很明顯的仇清、反清，然而，也有些可能就根本是一些無所謂的風花雪月的遊戲文字，而經過一些無恥的奴才的穿鑿附會，再加上統治者的心虛，於是無數文人便成了無謂的冤鬼了。這兒，我所要指出的，不是其他，而是此種怪現象的造成完全淵源於統治者的一種心理狀態，那便是我們通常所熟悉的「自卑感」。滿清人數既少，文化水準又遠在漢人之下，遽然掌握了這樣一個龐大的國家，心靈上早就患了極嚴重的自卑症，處處覺得人家在罵他、刺激他，甚至推翻他。儘管統治者在殺人的時候擺出一副神聖不可侵犯的面孔，但如果我們透過心理學的眼鏡去觀察他們，他們的心靈中，其實盡是一些卑怯、恐懼、戰慄……即舉凡懦夫所應有的一切特徵，他們都統統具備了。說穿了，他們倒真的可憐得很呢！

不過患有自卑症的人絕不止於少數異族統治者，當社會還沒有進步到比較公平的時候，這種自卑症確是無所不在的。魯迅的〈阿Q正傳〉所獲得的社會反應便是一個很好的例子。阿Q，據魯迅自己說，是綜合了一切中國民族的劣根性的，因之，祇要是中國人總不免要帶有幾分阿Q相的，而有些人偏偏心虛得要命，硬把阿Q往自己身上拉，都以為〈阿Q正傳〉是為他而寫的，那些張皇失措的神態真是好看煞人！幸而他們還沒有殺人之權，否則魯迅恐怕都已凌遲處死了。

患著自卑症的人其實根本連人家的意思都未必看懂了，他們說人家是在罵他、刺激他，而這本身，實際上就是很明顯的自卑感的表現——恐怕人家知道他看不懂。徐駿的話是不錯的，「清風不識字，何故亂翻書」。「亂翻書」，不僅不能掩飾其「不識字」，反而把它暴露得更清楚些呢！

寧靜以致遠

我們的時代是個極端瘋狂的時代：一個瘋癲的強盜集團可以支配著俄國的命運；一個嚴重的神經病患者可以掌握住德國的政權；一個狂熱的宗教徒可以殺死他的民族英雄和聖人——甘地。一句話，在世界的任何角落中，各色各樣的波濤都在澎湃不已，我們哪裡找得到一片平靜的湖水呢？

於是，人們也就相信這是真理；相信瘋狂、激動……可以解決一切問題。但事實上怎麼樣呢？俄國人的瘋狂帶來了世界災難的根源——布爾什維克政權；義大利、德意志民族主義的狂熱孕育出法西斯與納粹，認真來說，狂熱祇給我們帶來了無窮的災害，卻從不曾賜給我們任何幸福。而人們至今依然迷戀著它。在理性的光輝照射之下，這顯得多麼矛盾、多麼尷尬，又多麼的富有諷刺意味啊！

文化上的狂熱症發展到最高階段，便是口號、宣傳代替了真理；叫囂、咒罵代替了科學分析。人類文明竟至到了這樣膚淺可笑的狀態，真是對理性的最大諷刺。

其實，祇要我們肯冷靜地思考一下，我們將不難承認，一切通向真理之路都是平淡的（並不是平坦），而一切既已獲得的真理也都是寧靜的。儘管海上是波濤洶湧，但掌舵者卻唯有靠著他那沉著而安詳的情緒，才得渡到彼岸去的。人人都知道共產黨人是最狂熱的，但他們自己卻忘記了，他們的老祖宗馬克思是在倫敦的大英博物館中，靜靜地研究了幾十年，才形成了共產主義的思想體系的。

如果我們再觀察一下古代幾位哲人臨死時的情景，我們當更有理由相信「寧靜」才是通向真理的大道。孔子夢奠兩楹之間，晨起扶杖逍遙而逝；蘇格拉底被判處死刑，猶不忘囑其弟子代他向鄰人還一隻許願的雞；文天祥的〈正氣歌〉卻能表現出那樣灑脫而恬適的心情。他們都是獲得真理，並堅決信仰其真理的人，因此，個人的生死已不是以給他們以任何情感上的刺激。此所以他們表現出來的氣概才能這樣的寧靜、安詳。

「二十年後又是一個……」這是阿Q臨死時的豪語，中國的強盜們在法場上總是拿這句話來解嘲的，而不幸竟為我們的政治殉道者所採取了，於是「共產主義萬歲……」也曾一再為「革命者」所引以自豪的。這看來似乎壯烈，可是若和上列的哲人之死來比較，後者的意味就顯得非常淺薄可笑了。

「寧靜以致遠」，這是中國大政治家——諸葛亮從體驗中得來的人生真諦。祇有「寧靜」才能持久，才能深遠，才能「其味無窮」。固然，「驚濤拍岸，捲起千堆雪」也能激起我們片刻的熱情，但不消多久，我們便不免要陷入「人生如夢，一樽還酹江月」的意境了。

狂熱症是完全訴諸感情而產生的，而寧靜則是從理性中得來。我不反對人類該有相當程度的熱情，但就真理的價值而言，我總覺得唯有寧靜才值得人類永恆的奉侍。我們若想逃出驚濤駭浪的瘋狂世界，最後還得要求救於「寧靜之舟」的；因為祇有它才能戰勝波浪，也祇有它才能駛出眼前這無邊黑暗的海洋！

歷史自由論導言

一九四一年，羅斯福總統提出了四大自由，這四大自由是：一、言論自由，二、信仰自由，三、免於匱乏的自由，四、無恐懼的自由。從性質上，我們可以將這四種自由分成三類。第一、二兩項是文化自由，第三項是經濟自由，第四項是政治自由。這四大自由在當時，原是針對法西斯主義的獨裁恐怖而發。人類的自由，是否祇有此四項呢？當然是不止的，但是它確已包含到人類自由的每一面。本文的主旨並不在討論自由的限度，我們且不必去管它，但從這裡我們都可以得到一個結論，這一個結論不僅否定一切唯心的或唯物的一元史觀，並且它還擴張了歷史研究的範圍。

十九世紀時，歷史家如西利（John Robert Seeley）把歷史看作是國家的傳記；如佛利門（Edward Augustus Freeman）則以歷史為過去的政治。我們中國的史家也多是以政治的變動為歷史的主要的任務。把人類的歷史看作政治史，實際上也就是政治史觀，這與經濟史觀是處在同樣的偏狹的基礎上。從十九世紀末到二十世紀以來，人類的生活較前此的時代豐富得太多了，人們發現政治生活，並不等於人類生活的全部，尤以近代工業的突飛猛進，經濟生活乃日益複雜而充實了，於是有些人過分重視了這一面，又忘了另外一面，各種不同的經濟史觀便隨之出現了。馬克思的唯物史觀，實際上即是生產工具史觀，較之一般的經濟史觀尤為狹隘。但是，無論政治史觀也好，經濟史觀也好，地理史觀也好，或者黑格爾的絕對觀念史觀也好，總之，都是一元論的，都是蔽於己而不知人，蔽於一而不知多的。現在，讓我們先從人類生活的起源與演進史上來考察歷史發展的真象及其動力。

人類在洪荒的時代，我們可以想像是和一般禽獸的生活沒有分別的。我們可以假定在一時期，人類沒有社會的限制，每一個人正如天空的飛鳥或山中的野獸一樣，非常自由自在。法國的哲學家盧梭就極力描寫原始時代人類所享受的自由，因此他才鼓吹「返到自然」（Back to Nature）的思想。然而社會畢竟是進步的，不容許向後退。但是盧梭的思想卻給予我們治史的人一個極重要的啟示：人類為什麼要從如此逍遙自在的自然社會進入限制重重的文明社會呢？盧梭的答案祇是現象的，而未能深入本質。他那有名的《民約論》，是以英國的政治哲學家洛克的思想為依據引伸出來的，他認為人類之有社會，完全是出於需要然後才彼此訂立契約，政府的權力便淵源於這種契約，因此人民完全可以隨意改變這種契約，當他們感到必要的時候。是的，人類之有社會確是出於自願的，但人類何以有這種需要呢？這一答案便使得我們要研討到人與其他動物之間的真正分野處。人的體力不及巨大的野獸，如獅虎豹等，人身的技巧又不及飛禽那樣可以翱翱雲霄，避開地上動物的侵犯。因此，就生理條件言之，人類是不適合於那種洪荒社會的。那時人類雖有漫無限制的個人自由，但人類在自然界中所遇到的限制卻無法忍受。人類要獲得自然中的自由（其中尤以自然生命存在的自由最為重要），便祇有團結起來組織起來共同和自然界所給予的桎梏做鬥爭，這才在原始的經濟生活上加上了一個政治生活。人類之創造了政治生活組成了社會，一方面固源於客觀環境的逼迫，但另一方面存在於人類身體上的，除了生理機能之外，顯然還存在著一個捉摸不到的東西，這個東西便是人的靈性。關於靈性的問題，中西學者大致是承認著的。中國的儒家便肯定人類有先天的靈性。《大學》上所說的格物致知誠意正心修身齊家治國平天下一套功夫，也就在發掘此一靈性。佛家亦然，以為人人皆有佛性，人人皆可以成佛，所謂佛性也就是靈性的另一說法。西方歷史哲學家如湯因比氏提倡自明（self-articulation）之說，若干限制，所以，人類從野蠻進入文明，的確是犧牲了無限的個人自由而換取了整個人類在自然界中的自由的。

人類的生活果真可以用經濟或政治的原因單獨解釋清楚嗎？在過去，許多一元論的歷史家確曾一再地做過這種企圖的。然而，他們不幸地都失敗了。就我上面所簡述的人類生活的起源真象來說，就已超過了經濟或政治的範疇。而近代英、美的新興史學家如George Burton Adams、Carlton J. H. Hayes、H. A. L. Fisher、Ferdinand Schevill等人均已大致認為歷史因素是多元的，人類生活是多面的。在他們的著作中，已將政治、經濟、文化三者等量齊觀，分筆敘述。如論及封建制度，Adams即把它分成政治的與經濟的兩部來討論（見所著*Civilization During the Middle Ages*）；Hayes的通俗名著*A Political and Cultural History of Modern Europe*一書，亦因能把握住許多的因素，所以才能將這五個世紀（一五〇〇年起）的歐洲的複雜的歷史關係敘述得明明白白，有條不紊。Schevill氏於承認政治、經濟、文化三種因素的同等重要性之後，並認為文化的意義最為重要（見*A History of Europe: From the Reformation to the Present Day*）。凡此種種皆告訴我們說，人類生活至少該有三部分，那便是：一、政治，二、經濟，三、文化。這三者缺一不可。僅僅有經濟生活，那祇是禽獸的社會，不是人的社會。為什麼一個乞丐或小偷寧願餓著肚子也不願被送入有飯吃的牢獄呢？為什麼歷史上有無數為信仰而殉道的人呢？這足以說明經濟生活雖是人類生存的重要因素之一，但絕不等於人類生活的全部。當然，反過來說人類也絕離不開經濟生活，因此我們就可以知道無論用這三種生活中之一作為人類歷史解釋的基礎，都是偏狹的，都不可能得出正確的結論。然則歷史解釋的基礎究竟是什麼？歷史的動力又是什麼？這正是本文所要研討的另一核心的問題。

人類生活中既存在著三種不同的要素，而這三種要素又顯然是交互影響的，那麼歷史研究者就必然會感到一種痛苦，那便是以任何一個因素解釋一切歷史，固屬偏狹，但同時用三種因素來解釋一件一件的歷史事實，又必然會產生混亂不清、不得要領的結論。因為歷史上這一時代的變動是在文化方面，如文藝復興、五四運動；那一時代的變動卻在經濟，如工業革命；另一時代的變動又可能是政治的，如中國王朝的更迭。我們若個別的以政治解釋政治，經濟解釋經濟，文化解釋文化，結果，還是什麼都沒有解釋清楚，並且會使人懷疑到這三種因素無任何內在關聯，而人類的歷史也就完全是偶然的事情了。這顯然是不能盡愜人意之說。這一問題時時繫於我的腦海，在反覆思維之後，我得到了一種假設的解釋，這一解釋在我個人是盡了最大的努力，是比較能夠心安理得的。我用異中求同的方法在人類這三種生活之中，找到了一個更高的統一。我發現這三者都不可避免地要歸於這一更高的「合」，這個「合」不是別的東西，就是我們今天人人所熟悉的口頭禪——「自由」。提到自由一詞，人們心目中總以為它是一個抽象的名詞，一個離開物質的空洞概念，它怎能用以解釋一切歷史呢？我且不急於解答這一疑問。讓我們先看看自由的真實價值。一般的說，自由應是一種自然的規律，譬如一株花從萌芽到開放就是一個自由發展的過程；一座房屋日子久了便會倒坍，這顯然是因為構成房屋的許多磚木都在那兒不斷地做自由運動的緣故。禽獸的生活原極單調，照一般人的推想，牠們祇要有經濟生活就可以滿足了，但事實上絕非如此簡單。籠中的飛鳥、動物園裡的走獸，吃的東西不知比山林中要好多少倍；然而牠們卻無時無刻不在追求著自由解放的門徑，這些不都是活生生的例子嗎？從自然界上的萬物變化中，我們已可以看出自由是一個具體的存在而不是空洞的名詞，在人類的社會上那就表現得更清楚了。一部人類的歷史就是從不自由到自由的發展（政治、經濟、文化各方面的），這是稍有歷史知識的人所能瞭解的。最近幾十年來頗有許多人輕視自由。這兒我想拿陳獨秀先生的思想轉變來說明社會自由的本質。陳獨秀先生本來是一個不尊重自由的價值的人，但在臨死之前，他卻覺悟了。他曾列出一張簡表說明近代自由民主的實際內容。他說他深思熟慮了六、七年，真的瞭解了自由民主的真實價值。自由之所以不被人重視，不能不歸咎於近代文明中經濟生活之過分不平等。因為一般人所談的自由多是屬於政治和文化方面的，但近代經濟生活由於自由競爭後，未能和政治文化生活相調協，形成了一種不平等的自由，這便是今日人人唾棄的資本主義。經濟生活太不平等了，大資本家在經濟上侵占了勞工階級的自由，因此大家都集中注意力於經濟的不平等，以致忽略了政治與文化面的自由價值，社會主義的學說乃由此產生。它要使人們在經濟生活上獲得平等的自由，但由於社會主義者專講求經濟的平等而輕視了政治與文化的自由，所以廿世紀中興起了一種人人所熟悉的極權主義。這一主義得勢後，人類的政治和文化生活遂備受摧殘。在政治文化生活失去了自由的時候，人們才發現了經濟的自由也就不可能存在。因為沒有政治和文化的自由，祇有平等的經濟，並無殊於蜜蜂、螞蟻的社會，這不應該是人的社會。何況所謂經濟平等也者，實際上祇是一個騙人的把戲而已。犧牲政治和文化的自由來換取經濟平等的結果（這實是用人的社會換取蜂蟻的社會），並經濟之自由亦不可得，這真是一劑發人深省的涼藥。

直到羅斯福總統首謂「免於匱乏的自由」以前，人們祇覺經濟生活是應該平等的，不應說是自由的。這一誤解是起於對自然和人的關係沒有正確瞭解，尤以唯物史觀興起倡經濟生活為下層基礎之說後，人們對此一關係的認識更為顛倒了。唯物史觀抹殺人類之有靈性的事實，把人與自然的結合看成禽獸與自然的結合一樣。下面我試將二者做一比較：

天人合一：天——經濟——政治——文化——人

天獸合一：天——經濟——獸

由此可見天人合一，其媒介物有三；天獸合一則僅有一個，而且人獸之間的經濟生活也有本質上的差異。人類的經濟早已是文化的經濟，我們今日的任何食物都已經過人的靈性的改造，絕不單純是自然的了。人類越倚賴經濟（與文化相對而言）越和禽獸的距離近；反之，若越傾向文化，則越接近超人。自然與人的關係既明，經濟自由的涵義就容易明白了。因為人類的經濟生活從原始時代到現代已不知衝破了多少自然障礙，以至於接近任意駕馭自然的時候了。這正表示出人類經濟生活也是從不自由到自由的發展。

臨別的話

幾年的歡聚，如今就要離別了。古人說：「黯然銷魂者，惟別而已矣！」這句陳腐濫調，顯然是不適用於我們之間的。此時此地，我們的合與離絕不是偶然的，而是歷史背景、時代潮流所共同促成的。那就是說，我們的離合已超過了個人情感上的悲喜的境界，而別有其深長的文化的意味。

我們的師長們，為了一種高尚的文化目的，在香港創辦了新亞書院；而我們同學們也是為了要瞭解祖國的文化、歷史，以及未來的人類前途，而踏入了新亞的校門。在這幾年動亂的歲月裡，我們始終能絃歌不息、潛心探究，摸索著真理的方向，這一點，我們的確是足以引為驕傲的。雖然，我們的人數很少，淺見者流將會認為我們不可能有什麼大的成就；但，這其實根本無關緊要，問題卻在我們是否能夠獲得真理罷了。文藝復興的少數學者與藝術家開創了輝煌的西方近代文明；老子、孔子、墨子幾位偉大的思想家也倡導了春秋戰國時代的燦爛的平民學術運動。何以然？祇因他們掌握了真理故。

今天中國的文化正到了一個新的發展的關頭。如何負荷起此一重大的民族文化復興的使命，並進而促成世界文化之新生，顯然是我們天經地義的責任。文化問題，千頭萬緒；過去我們曾在一起，互切互磋地努力過，今後我們離開了，我們還得繼續不斷地，站在不同的崗位上，共同奮鬥下去。一粒小小的種子，十年後便可以長成大樹；我們不是更應該有堅定的自信心嗎？

「非國家、民族不永命之可慮，而其民族、國家所由產生之『文化』之息絕為可悲。世未有其民族文化尚燦爛光輝，而遽喪其國家者；亦未有其民族文化已衰息斷絕，而其國家之生命猶得長存者。」這還是錢院長十餘年前在《國史大綱》引論中所說的警語，但它卻指出了我們今天的努力的方向，我們的路正遠著哩，眼前的別離又算得什麼？

「天下同歸而殊途，一致而百慮」，我們終會相逢的！

最後，我們用最誠懇的心情敬告在校的諸位同學，要為全人類的幸福目標共同向前邁進，並祝

各位健康！

余英時　張德民

衝決網羅

戊戌六君子之一的譚嗣同氏曾著有《仁學》一書，大氣磅礴，是開風氣之作。他在自序中曾說過這樣一段話：「初當衝決利祿之網羅，次衝決俗學若考據若詞章之網羅，次衝決全球群學之網羅，次衝決君主之網羅，次衝決倫常之網羅，次衝決天之網羅，次衝決全球群教之網羅，終將衝決佛法之網羅。」譚氏所衝決的網羅的內容，在今天看來，早已失去了時代的意義；但這兒我所特別指出來談的是，他所表現出的這種蓬勃的革命精神乃是有著不朽的價值的，在民主革命前夕的今天，我們更迫切地需要它！

當整個社會還未能基本上民主化的時候，阻礙進步、抑止發展的重重網羅正是無所不在的天羅地網。此種網羅並不是有形的，而是我們目不能見，手不能觸的。傳統的風俗習慣、保守的思想、現存的不合理的社會制度……一層層地束縛著我們，若非具有相當魄力的豪傑之士，的確不容易有「衝決網羅」的勇氣的。嘴裡喊喊新名詞、唱唱高調的人是到處都有，然而真正能身體力行，毅然跳出舊世界的圈子者則寥寥可數；此無他，以我們本身尚有若干利益與舊社會無法分離故。義與利的衝突逼使多數人走上了妥協之路，「得過且過」不正是中國人處世哲學的精神嗎？正因為我們太安於貧窮、安於愚昧了，所以政治落後，社會停滯，而科學的創造精神更是和我們無緣了。

誠然，社會的激勵是促使人們衝破舊樊籠、開闢新天地的重要因素；但真正有志之士卻不應該老是被動地受著社會的鞭策而前進，而當主動地把握住時代的潮流、歷史的方向，領導社會走到新的階段。西方社會對個人的創造的鼓勵雖比中國好些，但也不盡然。中古時期的教會統治著文化教育，一切違反教義的學術思想絕對不容存在。可是偉大的科學家如哥白尼、伽里略之流卻能不畏強權，堅持真理到底，這正是「衝決網羅」的最好說明。

近百年來中國社會面臨著翻天覆地的大轉變，這本該是「衝決網羅」的最好時機。但令人失望得很，我們的改革家或革命志士卻都未曾「衝決」舊網羅；他們不是想模仿古人，便是讓別人牽著鼻子走，創造精神表現得太貧乏了。現在，一方面共產黨的天羅地網已將中國籠罩得密不通風，另一方面呢，腐舊的傳統力量依然壓在每個人的頭上。大多數人顯然已覺悟到無法再「得過且過」了，他們所追求的目標——民主自由的社會——也是絕對正確的；至於如何達到這一理想，不少人似乎還有些茫然呢！

其實，命運完全掌握在我們的手上，問題倒在於我們肯不肯拿出最大的勇氣去「衝決網羅」罷了！

此心吾與白鷗盟

「翻手為雲覆手雨，紛紛輕薄何須數；君不見管鮑貧時交，此道今人棄如土！」在火藥氣萬分濃厚的今天，人與人之間充滿了猜忌與譎詐，什麼道義、友誼，如今統統都成了癡人說夢了。

我不相信文明死亡之說，更不承認世界有末日的一天。但一個顯然的事實不容否認：任何一種文明，在其永無止境的歷程中，總難免要發生一些疾病（由於某種內在的或外在的原因）。當文明為疾病所困擾時，它所表現在社會上的便是道德墮落、風俗敗壞和小人當道……。這時，形形色色的醜惡靈魂也就原形畢露了。深陷在舊社會的泥淖中的人們是永遠看不到新生的遠景的，他們祇知透過那一己利害的近視眼鏡來看世界、看一切人。因此，對於有志於社會改革之士的一切作為，他們都是熟視無睹的；而他們所看到的，卻祇是與他們本身利益相違背的一面。於是，他們開始憂慮、疑懼，以為別人的一舉一動無非是與他作對而已！猜忌既於此產生，謠言、帽子也就隨之以俱來。這在中國歷史上早有不少先例了。王安石的變法就因為損害了那一批舊官僚、大地主之流的切身利益，才被人詛咒成那樣奸詐陰險的。四面八方的攻擊，最後連皇帝也庇護不了。「經世才難就，田園路欲迷；殷勤將白髮，下馬照清溪。」這一代偉大的政治家的沉痛慨嘆該是有著多麼深長的意味，又該是多麼值得後人永恆地體味呢？最近如康有為、梁啟超的政治改革，並未曾基本上侵犯到愛新覺羅氏的政權，然而一枝枝的毒箭（如什麼進紅丸之謠）卻已向他們颼颼射來。對著這些可恨亦復可憐的社會進步的絆腳石，我們還有什麼可說的呢！

我曾明白地指出過，我們應以「衝決網羅」的精神去掙脫社會的羈絆。如何才能「衝決網羅」呢？這兒我要提供一個更為具體的道路來：我覺得我們根本不必去理會那些害怕社會進步的傢伙們怎樣詛咒、怎樣猜忌；所有嚮往著新社會的志士們祇須團結起來，走自己的路。一切祇能寄生在病態社會中的醜惡靈魂，一到新生社會裡，便自然會消失得無影無蹤的。在過去，中國豪傑之士的社會改革運動之所以一再失敗，乃是因為他們錯誤地走上了以帝王為中心的死路的緣故。現在呢，我們所追求的目標是民主，因此，其重心已轉移到廣大人民這一方面來了。而成功與失敗的鑰匙也完全操諸己手，再無可以使我們猶豫、顧慮的地方。

辛棄疾寫過一闋〈盟鷗〉詞，他說：「凡我同盟鷗鷺，今日既盟之後，來往莫相猜。白鶴在何處？嘗試與偕來！」黃山谷的詩也有「此心吾與白鷗盟」之句，這些話都說得極好。誠然，在這個強凌弱、眾暴寡的豺狼世界裡，猜忌實在所難免；然而，我們不要忘了，那些善良純潔的鷗、鷺、白鶴，終是可以和我們真誠坦白地往來的。在這海隅之地，我們不是時時看到那無數美麗的鷗鳥翱翔在海上嗎？祇有他們才能永恆地生存在這諧和的宇宙之間，也祇有他們才值得我們作永恆的友情的奉獻！

所以如今我已恍然，我們該跳出這豺狼的世界；在海上，在湖畔和溪邊，在幽靜的山林中，我們將尋到更廣、更美好的世界。那是鷗、鷺、白鶴的世界，是與一切醜惡的靈魂無緣的世界。我們試著去和鷗、鷺、白鶴做朋友，而我們竟將從此開始了一個光芒萬丈的嶄新的時代！

愛之人生

人生就是愛。離開愛便無所謂人生，更談不到人生之意義。

然而人生畢竟不如我們想像中那樣充滿著愛；相反地，今日的世界正彌漫在濃厚的仇恨和鬥爭的氣氛之中。兒子殺父親，學生殺老師，兩代間仇恨之深，鬥爭之慘，似乎已到了極峰。在過去，無論是中國，還是外國，這種悲劇，都是絕少發生的；偶而有之，也必然為社會輿論所不容許。即像我們魏晉時代那位猖狂的阮籍先生也說：「殺父，禽獸也；殺母，禽獸之不若也。」古希臘神話中雖有子殺父娶母的悲劇故事，但其中教育的意義居多，亦不足為今日人間慘劇的理論根據。當然，目前的仇恨並不祇存在於人倫之間，整個社會也都逃不開它的羅網，人類的文明似乎眼看著便面臨了毀滅的邊緣了。

這樣看來，我們又怎能說：「人生就是愛」呢？是的，從表面上說，尤其是在這一段歷史的歷程上說，人生不僅沒有愛，而且還完全為恨所吞沒了。但是，我們畢竟是人，是具有文明智慧的人，我們自信將能夠解決我們自己的問題，而不致因此沉緬於絕望的苦痛深淵中。儘管現在有不少的「魔鬼」在那兒有計劃地陰謀地傳布著仇恨哲學的毒素，人生之愛卻並未相形而見絀。這原因不在其他，乃在於愛本身的偉大。宇宙間一切事物都是有限的，唯獨愛是一種無限的存在，它無所不包，甚至它的敵人亦同樣在它的懷抱之中。魔鬼是仇恨的信仰者，但魔鬼本身則是愛的產兒。因此，在宗教上，人們常喜說魔鬼是上帝創造的。茫茫宇宙，芸芸眾生，其間該有多少罪惡？而此宇宙之生，實又不能不歸於一無限巨大而充塞乎天地之間的愛力。眾生之世世相延續更何嘗非人類千百萬年間相親相愛之結晶？

於是有人說，魔鬼與罪惡亦生於愛，愛的偉大更從何而表現呢？誰要這樣瞭解愛的意義，誰便將成為愚昧無知而堪憐憫。說罪惡生於愛，祇應是把罪惡當作愛的副產品，而不是說愛祇能創造罪惡。佛捨身飼虎，又說：「我不入地獄，誰入地獄！」「虎食」和「地獄」同是罪惡，而佛之博愛亦存乎其間。甘地死時猶寬恕他的兇手，與其說這是對罪惡的姑息，則毋寧說是對無知者的憐愛。

我們所以敢說「人生就是愛」，其道理再簡單沒有：惟有愛才能創造生，而仇恨卻祇會產生死。一生一死，愛恨是分。人類還是愚昧的，還帶有幾分獸性，因此才終不免有仇恨與鬥爭；「物競天擇」、「弱肉強食」的景象愈在自然界愈顯著，愈在人類愚昧的時代愈清晰，直至人類一步步地踏上文明的道路，他們也便逐漸地遠離了仇恨與鬥爭。今日之仇恨與鬥爭，已不是多數人無知地好勇鬥狠，而是少數人強迫人們去恨去鬥爭。

然而，我們所以有今日之「恨」，亦自有其歷史根源。這根源便是我們自己的無知。我們不把人當人，而把人當物，或把若干別人當物。我們相信社會進步必須是階級分野之一步步消滅；當我們視地主、資本家為阻礙社會進步的「絆腳石」時，我們殺了他們，也會自覺得心安理得。在這時，你腦海中的地主、資本家都成了「物」；當你否定了他們的生存權利時，你對於他們的處理便會毫無顧忌了。

人類自有文明以來已經過了一條漫長的歷史道路，在這條路上，愛已經很接近我們了，宗教、哲學、政治、文學、藝術……等等人生的成果，哪一樣不是從互愛互敬中產生的呢？父母愛子女，子女孝父母，師長愛學生，學生敬師長，這都是真正的人性的表露。違反人性是必然慘敗的；它不僅可恨，而且可恥。科學已進步到原子能的時代，而人們猶未能忘情於原始的獸性的仇恨與鬥爭；猶未能憧憬到愛之人生的真理，這可真太奇怪了！

回顧歷史，我們曾承受了祖先們無比的愛，我們也得把這愛一代代地傳遞下去，直到愛的光芒照滿了宇宙的一切角落。

人生就是愛。離開愛便無所謂人生，更談不到人生之意義！

歡樂聲浪中的懺悔

今天是中華民國四十一年的雙十節。這是一個照例的慶祝日子，四十年來，我們不知讀過了多少冠冕堂皇的紀念文字，人間美麗的頌詞差不多早已被人們用盡了。到今天，國破家亡，飄零海外，我們還有什麼好談、什麼好說的呢？

九天以前，中國還另有一個新的「紀念日」，那是中共的所謂「國慶」。在大陸，以至在一部分海外，無數的人們被強迫去迎接它的來臨，開會、遊行的把戲鬧得煞有介事。有了它，三年來我們又看到多少諂媚的詞句。

但是作為中國人民的我們，是絕無法滿足於這些外在的儀式，祖國的無比深重的苦難逼使我們不得不對這四十一年的中國社會做更進一步的實質的檢討。這幾十年來，我們究竟是進步了呢？還是更退後了呢？這似乎是一個無法做籠統答覆的問題。從社會習俗上、教育文化上，以及人民覺悟上，諸方面說，這四十年來我們有了很大的進步，這些事實極顯明，我們用不著逐一列舉。然而在政治上、智識分子的風格上，我們不客氣地說，卻沒有什麼實質的進步可言。不錯，在形式上，滿清的推翻，幾千年傳統的帝制隨之終結，這在中國歷史上不能說不是一件大事；從四書五經的科舉制度擴大到歐美式的科學教育，對於中國的智識分子也不能不說是一種天翻地覆的改變。

但是這些變化都不是向前邁進的！它所給予中國人民的不是災害，而是幸福。在過去不合理的帝制是存在的，而人民卻仍能過著日出而作，日入而息，帝力於我何有哉的生活。俗語說：「天高皇帝遠」，也正表示出政治的力量並不干涉私人的自由。革命之後，一般人的自由反減少了。孫中山先生說：「政治是管理眾人之事」，可是實際上它所管的卻不是「眾人之事」而是「眾人」。這種現象是可悲的，它直接阻礙了我們通達民主之路。說到這幾十年來的智識分子，更引起我們無窮的慨嘆。在中國的社會中，智識分子是得遵守若干道德信條的。儘管這種信條不合理，阻礙社會的進步，惟就智識分子本身說，總不失為一種有益的修養。曾子說過：「士不可以不弘毅，任重而道遠。」范仲淹說：「先天下之憂而憂，後天下之樂而樂。」這些話充分表現出中國傳統智識分子，對社會的責任感。不幸這幾十年來，此一優美的品質也隨著世變的潮流消失了。他們對社會全無一點關切，所注重的祇是個人的榮譽、享受和權力而已。他們已徹底墮落成一群統治者的幫閒；統治階級的權力便是他們的真理。作為社會中堅的智識階層竟如此的寡廉鮮恥，整個社會的前途不是太可悲觀了嗎？

西方社會之所以有今日之成就，智識分子的功勞是不可抹煞的。沒有文藝復興以來無數酷愛真理甚於生命的科學家的努力，輝煌的近代文明是不可能出現的。

現在中國的病痛是不是祇有政治落後和智識分子的無恥兩點呢？當然不止。然而，這兩大缺點是最重要和最基本的。這二者之間又是極其緊密地結合在一起的。前面我們所指出的那種以美麗的詞藻做歌功頌德、文過飾非的官樣文章的把戲，便正是卑鄙的統治者和無恥的智識分子狼狽為奸、欺騙人民的花樣。他們的花樣層出不窮，而中國的災難也就永無止境。

今天我所要寫的應該是一篇漂亮的紀念文章，而在別人看來，我的野馬卻已跑得無法收韁了；到此為止，我還沒有寫出一個慶祝的字樣！我是不是該說一點好聽的話呢？主觀上，我絕對希望如此，而實際上，我的良知不允許如此做。一個人在犯了罪之後應當深自懺悔，一個國家、一個民族在苦難的當兒，似乎也祇有多多的反省。不肯認錯，固然是值得同情的自卑心理的固執；妄自陶醉，卻也是不可饒恕的恥辱。

我絕無意要中國的政治和智識分子都回到舊的狀態中去，復古是從來不曾行得通的，也永遠不可能做到。「逝者如斯乎夫，不舍晝夜」，歷史的長流片刻不斷地奔騰著，我們總得在這黑黝黝的海洋中探索出一條通達彼岸的航路。

不可否認，我們這四十一年來，有一些值得驕傲的成就，也有更多不可饒恕的過失。然而祖國深重的苦難，已不容許我們僅僅陶醉於那些少數的成就之中，我們所應該積極做的即是低下頭來深深地懺悔。

朋友們，如果我們最近的努力能夠根除這兩個歷史的汙點，中國的新生也就在眼前；而我們今天紀念「雙十節」的四十一周年，算有了最真實的意義。路誠然是漫長的，但腿總是長在我們自己的身上，別灰心啦，向前走吧！

求學之道

有一位哲學家自述他求學時期的讀書方法，當時他自己提出了這樣的一個口號：「用打仗的精神求學，以批評的眼光讀書。」

但讀書而不求甚解也是不行的，於是，他又提出第二個口號：「細心想道理，大膽下批評。」

輯三

一九五三年

畢業以來——給同學們的信

驛外斷橋邊，寂寞開無主。已是黃昏獨自愁，更著風和雨。
無意苦爭春，一任群芳妒。零落成泥碾作塵，祇有香如故。

——陸放翁，〈卜算子〉

親愛的同學們：

自從和你們分別以後，一直沒有寫信給你們，這並不是說我忘記了你們，而是說我實在不曾有過很好的心情可以來寫這封信。

畢業以來，半年的歲月匆匆地過去了。這一段時間，在我個人確是新奇的；我已經開始走入了社會的與現實的人生，而慢慢地遠離了原有的理想的世界。於是，我也開始有了迷惘的痛苦。一切我所熟悉的、有興趣的、愛好的事物如今已經愈來愈和我隔閡起來；而另一些我所生疏的、無興趣的、憎惡的東西卻一樣樣地闖進了我的生活圈子。而我呢？我已不能太任性地好我所好、惡我所惡了，因為這畢竟是社會，而不是家庭或學校啊！

同學們，我想你們一定很希望早點畢業、早點到社會上來，是不是？過去在學校的時候我也曾有過這樣的想法。但是，現在我倒羨慕你們了；我羨慕你們依然能夠過著天真無邪、無拘無束的理想生活。在你們的心靈深處，依然充滿著美，充滿著光明的遠景。你們希望早日來到現實的社會上，以覓取更多的溫暖；尋找你們心目中所創造的一幅美麗的人世的圖畫。我過去又何嘗不是抱著同樣純潔的幻想呢！可是當我剛剛進入社會的時候，我就失望了，至少暫時是失望了。現實社會是極其殘酷的，它打破了我過去夢想中的美好世界。人與人的關係再也沒有像家人父子或師生同學之間那樣親愛、那樣率真了。到處是猜忌、嫉妒；沒有寬恕，更沒有瞭解，也不去尋求瞭解。

當然，通過無數文學家的筆端，你們早已知道了社會上不少黑暗的現象，所以我不想在這裡多費筆墨去描寫這些。我所想和你們談的是我個人的一點感受、一點希望。這是一個變的時代，作為青年的我們，是要把希望寄在遙遠的未來，因為現實太醜惡也太冷酷，它對我們祇有打擊而沒有溫暖。於是問題也就發生了，我們又憑什麼可以創造一個理想的人類世界？雖然我羨慕你們此刻依然有無限的快樂，但這樣快樂是不能持久的，因為你們也有離開學校的一天。問題是要在外在的現實世界中追求快樂與溫暖。鴕鳥式的麻醉畢竟是經不起考驗的啊！

現在社會上有不少的人在那兒嚷著要創造世界，我看他們倒是在毀滅世界。在這動亂的歲月裡更多的人是做著混水摸魚的打算。我簡直不知道人類的希望究竟在何處，這些各色各類的人熱鬧一番的結果，祇會增加世界上的寒冷與罪惡，這是為什麼呢？因為他們內心都缺乏了真、熱與美，人人都抱著同一的自私想法：去吸取他人的熱與美，而不肯把自己所有的獻給別人。我無成為一個政治思想家的企圖，也沒有什麼烏托邦的偉大幻想可以供改造世界的人們參考，不過有一點我認為是我們這個時代的人類世界所必需的，那便是愛。我想，如果我說現在世界上有著太多的恨、太少的愛，應該是人人所承認的。所以說到最後，我們這一代人的責任乃是給這充滿著恨的世界增加一點愛。愛不是物質，不是具體的存在，所以我們無從在外在世界中去追尋，權力、金錢固然不能換到愛，原子能也創造不出愛來，愛的來源祇有一個，那便是我們的心——人的心而不是獸的心。

人心到底是善是惡呢？這一點是幾千年來爭論不休的問題，我們也不必去理會。不過有一點我們可以肯定，愛的確是人心的產物。人的心一生下來不見得就有愛，倒是因為後來受到父母同胞的愛，師長朋友之愛，才慢慢地發展起來的。中國儒家講「仁」字即從這種地方推衍而來。為什麼父母師長才可以培養人的愛呢？因為他們祇有施予而沒有受取，一般社會上的人卻恰恰與此相反，這說明了社會何以亂多而治少了。

現在我可以說明我為什麼要寫這封信給你們了！我到社會上以後，發覺我個人心中的少許愛與熱不僅不足以溫暖社會，倒往往有被外面無限巨大的寒流所侵襲的危險。固然一方面是由於社會上有愛與熱的心的人太少；另一方面也是由於我們在家庭與學校中所吸取的愛與熱太少。我羨慕你們是因為你還有機會吸取這種愛與熱；我更希望你們不要和我一樣，辜負了這個良好的機會。

祇要我們具有足夠的愛與熱，我們就不怕舊社會的寒流，我們應該把家庭與學校的愛與熱擴而大之，推廣到世界的每一個角落，能如此，我們依然還有希望創造一個比家庭與學校更理想的社會。

因此，對於現實社會我雖然感到失望，然而並不悲觀。

最後祝你

進步快樂

余英時敬上

一九五三年二月一日

法國革命期間歷史研究的復興

本文是我所寫的〈大革命後之法國史學〉中的一節，敘述革命期間法國史學研究的一般狀況。其中有許多幼稚與錯誤的地方和「五四」以後的中國史學界相似，尤以政治力量侵入史學界對於客觀歷史的研究之損害值得我們深思與反省。

法國的史學研究可以將一七八九年的大革命作為分水嶺。正如中國「五四」運動以後一樣，當時法國的雅各賓黨人也將革命前的歷史看成罪惡的地獄。無數有關貴族生活的史料都被革命政府下令焚毀。康多塞（Condorcet）說得好：「今天理性焚毀了無數記載著一個階級的虛榮的文件，在公共的和私人的圖書館裡，還存在著不少這類的資料，它們也必須全部毀滅。」

舊史家如克雷蒙（Dom François Clément）在大革命激烈之際（一七九〇年）猶能安心完成了他的《年代考證學》（*L'art de vérifier les dates*）著作。但隨著一七九三年克氏的逝世，舊史學遂亦告終結。

革命的恐怖時代過去之後，法國產生了一個研究所（Institute），包括科學、文學與藝術各系，並成立了一個附屬的道德與政治學院（Academy of Moral and Political Science）該研究所聘請史家布萊羅（Dom Brial）繼續波奎（Bouquet）氏編年史的纂集工作，布氏到一八〇一年便幾乎單獨完成了編年史的第十三卷。由於革命的議政府背棄了往日的諾言，法國遂重陷入粗野的專制時代；這比大革命的混亂時期更不利於史學研究。如果說革命期間法國史學界有什麼值得紀念的大事的話，那就要算李諾亞（Renoir）所創建的國立博物館。隨著「舊制」（Ancien Régime）的崩潰，法國無數藝術珍品也被認為是專制與迷信時代的象徵而遭到全部毀滅的悲慘命運。在革命的破壞狂發展到高潮時期，也祇有李諾亞氏挺身而出，加以保護，這才保留了若干國寶。由於他對古物的愛護，所以國立博物館對後來歷史研究的影響甚為重大。零星的史料分散在許多的教堂中並不能發生什麼作用；但把它們完全歸集分到一處，並按年代先後而加以編纂，便引起人們的極大注意了。

一八〇四年（議政府最後的一年）拿破崙廢除了道德與政治學院，而另在研究所中設立一古代文史系。但中古史與近代史的研究卻付闕如。一八〇六年拿破崙為了要利用歷史研究，乃建議設立大學或擴大法國學院（Collège de France）以容納羅馬、希臘、拜占庭、法國、英國，以及美國的歷史講席。同時又增加特殊科目，如自羅馬至議政府的立法史、法國戰術史等。但此種夢想終未實現。這不僅因為法國當時沒有這些人才；即使有人的話，事實上最後也將變成御用的官吏，而無法自由研究歷史的。

未幾，法國的歷史研究便遭遇了厄運。一八〇八年，拿破崙將歷史研究變成了國家壟斷的事業。更可笑的是，它竟由警察部長負責掌管。彌洛（Abbe Millot）的《法國史》（*Histoire de France*）便因其中有損害法國軍隊的榮譽的記載而受到迫害。如果說拿氏對法國史學有什麼貢獻的話，那麼他的唯一功績便是聘請都努（Pierre Daunou）掌管國家檔案。法國革命時由於歷史文件受了嚴重的毀壞故而一時曾激起一種反動；於是一七九四年，在加瑪（Armand-Gaston Camus）氏的領導下，組織了一個委員會，對尚存的文件加以保護。一八〇四年都努接替了加瑪的職位。都氏具有淵博的文史知識，並深得時人的尊崇，他早年時雖係一教士，但卻歡迎革命的到來，不過一直是站在穩健派的一邊罷了。指揮府（Directory）時代他主要工作乃在教育方面，研究所的建立他實為主要領導人。及至議政府成立，他乃退出政治生涯。而拿破崙之所以信任他掌管檔案，也正是因為他乃是一位學者而不是政客的緣故。拿氏且亦曾數度向都氏求助。當拿氏與教廷展開鬥爭時，都氏便被指定撰述關於教皇的世俗權力的論著。他認為自第九世紀以來歐洲的一切災害都須由教廷負責。他雖同情宗教思想，但卻著重地宣稱，教皇的世俗權力必須消除。此書深得拿氏的稱許，因為它支持了政府政策的實施。一直到拿破崙帝國的終結，都氏由於獲得布萊羅與任昆尼（Pierre-Louis Ginguené）二氏之助，均在繼續撰述《文學史》（*Histoire littéraire de la France*）的巨著。

其時若干歷史著作中之最重要者當推弗拉遜（Flassan）的《法國外交史》一書。該書係拿破崙任議政府首席議政官（First Consul）時所指定撰寫的，是為第一部國別外交史的著作。但該書的價值全在史料方面，寫到當代外交時，弗氏曾對拿破崙極力歌頌，殊有失史家風格。但拿破崙不僅未加褒揚，反而譴責他不應企圖暴露政治機器的秘密泉源於世人。像這樣的統治者實祇能委派歷史的編纂者，如何能夠造成真正的歷史家呢？

在拿破崙周圍的人中祇有達魯（Pierre Daru）的《威尼斯史》（*Histoire de la République de Venise*）一書才稱得起是一部佳作。達氏曾隨拿破崙轉戰各地，後來並出任作戰部部長。該書的許多珍貴材料也是在法軍攻入威尼斯城後才獲得的。該書陸續出版後，深獲歐洲各地的普遍好評，其敘述莊重而平靜，但卻蒙著一層非常幽暗的色彩，它曾尖銳地指出威尼斯政府的秘密與嚴重性，以及人民道德的敗壞。全書旨在達成如下的結論：即拿破崙的干涉是應該的。但威尼斯的愛國志士卻因此對達魯極為憎恨；儘管達氏辯稱，他曾對威尼斯人的工業與藝術天才備極讚頌。他的最銳利的批評家——蒂波羅（Count Tiepolo）卻寫了兩冊校正，指出他所根據的史料的無價值。達氏受到這許多批評，遂重做新的研究，在該書以後的幾次再版中，他便將其研究的成績補入。這時，拿破崙已被囚在聖海倫那島（St. Helena），但也還是該書的讀者之一呢！直到數十年後羅馬寧（Samuele Romanin）的著作未問世以前，這部書始終是威尼斯歷史的經典作品。

拿破崙的專制統治期間，法國的智識界極為荒瘠；祇有沙陀布朗（François-René de Chateaubriand）的著作開放了情感的泉源，擴大了想像的範疇，並激起了歷史的意識。雖然他的歷史知識是片段的，不宜於系統的研究，但復辟時代的法國史學研究室的燦爛之花卻得歸功於沙氏之賜。在文學上，他祇繼承了盧梭與伯納丁（Jacques-Henri Bernardin de Saint-Pierre）的傳統；在史學上，他的最大功績則在於開啟了中古時代的研究之門。一七九七年他在英國所寫的《大革命論》一書，頗能跳出當時敵對黨派的宣傳口號的窠臼。他自己是一個貴族，但卻認為法國革命是不可避免的，他研究法國革命的原因，並比較考察其他同樣的事件，以探究它的後果。他從希臘史的研究中發現大多數近代的事件都與古代世界相類似；他因此得出結論：人類歷史是循環運動的。

但不久沙氏便有了新的轉變。一八〇二年他的新著《基督教的精神》（*Génie du christianisme*）一書曾給予擺脫了十八世紀傳統的法國當時的史學潮流一個極大的激勵。此書極力推崇基督教，認為它是近代文明的主要內容，並將古代法國的輝煌燦爛的歷史歸功於基督教之賜。書中充滿了情感與想像，故影響力頗巨。

沙氏的影響最初見諸彌邵（Joseph-François Michaud）的《十字軍史》（*Histoire des croisades*）。十八世紀時，史家認為十字軍東征不過是一種迷信的舉動而已，彌邵則闡釋十字軍所由產生的情緒，及其所喚起的英雄主義。他本人雖同情此一歷史事件的宗教動機，但同時他並未抹殺其他因素。他力圖指出此一事件不是信仰問題所能單獨解釋得了的；它實表現出歐洲文明發展中的真正利益所在。歐洲與亞洲的對峙已增廣了知識與瞭解，建立起商業的關係，而歐洲的城市也因此逐漸興起了。其後，彌氏的生涯都消磨在修訂與增進此一著作上；他並且印行了《十字軍參考書目》，有些史料還是東方學者為他翻譯的呢！他不僅在史料的搜集上用力甚勤，同時，他還親自拜訪過耶路撒冷，以求改正他的著作中的錯誤。不過，《十字軍史》一書所運用的材料雖然都極真實可靠；然而他對此一史實的解釋，還說不上有什麼成就！

與彌邵同時，有拉弩亞（François Just Marie Raynouard）其人者，致力於法國普拉汶（Provence）的抒情詩（troubadour）的研究。經他收集出版的抒情詩一共有六大卷。拉氏研究語言文字的結果，認為羅馬語言（Romance）僅僅是拉丁文的產兒，而結果則演變成法文、義大利文、葡萄牙文以及西班牙文等等。拉氏本人的研究並未臻爐火純青的境地，不過他的確引起了人們對法國南部的彌地（Midi）文明的興趣。

同時還有浮里靄（Claude Charles Fauriel），學識極為淵博，亦從事文學史之研究。他曾收集了一部希臘民歌，並且還寫了一篇很精彩的導論，將歐洲導入了一個新的文學領域。直到拿破崙帝國之終結，他始終以全副精力對彌地文明做深入之探源的研究。此項研究預定分成三部分：第一部是高盧（Gaul）與一般古代史的關係；第二部是記載法蘭克人（Franks）的侵入與統治；第三部則從加羅陵琴（Carolingians）王朝之覆滅到阿爾比宗派（Albigensian）戰爭的結束。但祇有第二部分的研究完成了，有《法蘭克人治下的南高盧史》（*History of Southern Gaul under the Franks*）四卷問世，內容甚為翔實。他認為法蘭克人的侵入祇給法國南部帶來了毀滅與混亂；不過南方尚較北方為佳，因為南方更為拉丁化，而所受的攻擊也較輕之故。浮氏對史學界的影響很大；他那淵博的學問遂使他成為復辟時代整個一代的史學界導師。基佐（François Pierre Guillaume Guizot）、庫生（Victor Cousin）、蒂耶爾（Marie Joseph Louis Adolphe Thiers）和米尼（François Auguste Marie Mignet）都受他的激勵不少；而迭利（Augustin Thierry）則一再地表露對他的私淑之情。他說這位「史學革新之父對我以及其他許多人曾有著激勵和觀念的啟示」。

另有一位史學家，其著作的出色和精緻不逮浮氏，而數量卻遠過之，那便是西斯蒙提（Jean Charles Léonard de Sismondi）。他的第一部名著乃是一八〇七年所發表的《義大利諸共和國史》（*Histoire des républiques italiennes du Moyen Âge*）。該著的中心是在於敘述十二至十六世紀義大利各共和國的歷史。據他研究的結果，氣候或種族都不是歷史變遷的真正原因，形成人民特質的最主要的因素，實是政治與法律；這在義大利看得更為清晰。義大利的光榮是與她所享有的自由成正比的，在查理士五世的統治之下，她失去了自由，而同時，她的影響力也就消失了，她的商業活力與藝術光輝也竟黯然失色。他便因此得出結論：任何國家的偉大都是建築在自由的基礎之上的。他認為自由的代價乃是一種永恆的警惕，此一警惕如果鬆弛，專制主義便會乘機而入。英國史學家佛利門在其早年的論文中曾宣告西氏的著作為不朽的，並讚頌其流暢、深邃與教導力。但後來發現該書所引用的材料頗有錯誤，惟並無損於它的感召力。

西斯蒙提的祖籍原是義大利人，十六世紀時因係反對教王派（Ghibellines）而遭放逐。然而，他卻熱愛著法國。在給友人的一封信中，他寫道：「如果我必須愛一個國家的話，那麼便非法國莫屬了。」當拿破崙從厄爾巴島逃回法國的時候，他也熱烈地歡迎他，尊他為國家獨立的保衛者。

他完成了義大利的歷史著作後，便著手研究法國史。《法國人民史》（*Histoire des Français*）的第一卷出版於一八二一年，其第二十九卷一直記述到路易十五世之死，此卷在一八四二年問世時，他已經逝世了。他的法國史的研究具有三大特點：第一、他是第一個對全面的法國史做詳盡而綜合的觀察的歷史家；第二、他的歷史乃是以原始史料為根據的，而不同於一般的「編纂的編纂」；第三、他初次給羅馬帝國的行政在高盧的失敗、日耳曼人侵略的性質、封建制度的結構、法國各郡的興起，以及工商業對政治發展的影響等，做了清晰的估計。

由於他不是法國人，故他能具有嚴正的批判眼光，不過卻犯了一種錯誤，那便是用他自己時代的標準去衡量過去時代的人與事，同時又由他缺乏想像力，故不能瞭解其他時代的大勢與精神。儘管他的研究還有缺點，儘管他的後繼者達到了與他相反的結論，但是，在法國史的研究上，他畢竟是開風氣之先的人。這一點，也正是他自己所引為驕傲的！

論中國智識分子的道路
——中國傳統社會人物批判

一

關於中國傳統社會性質的研討，曾經引起了中國學術界上的廣泛爭論。「五四」運動以後（民國十七、十八年），中國發生了一次社會問題的論戰；抗戰勝利後又復展開了第二次熱烈的討論。這兩次論戰實際上並沒有解決了問題；左派的共產黨人依然一口咬定中國是「封建社會」，反對這種理論的說法雖然很多，但也沒有一種共同的見解。所以，直到現在我們仍舊無法解答中國究竟是什麼社會問題。這真是中國學術界上一個無法磨滅的恥辱。

我們面臨著一個徹底變動的時代，百餘年來有志之士一直在摸索著重造中國的道路；然而時至今日中國問題的解決反而離題更遠，為什麼呢？不瞭解中國傳統社會的性質無疑是最主要的原因之一！沒有弄清楚病情便胡亂下藥，而且藥越下越猛，這古老的病夫之國又怎能不斷送性命呢！

海外民主自由運動的興起算來已有三、四年了；在這段期間，我們讀到了許多鼓吹西方民主自由理論的文章，而不幸中國社會的性質問題卻依然是最被漠視的一環。民主自由原是西方文明的產兒，現在我們承認它的世界性；並願為它在中國的實踐而奮鬥。但是，它怎樣才能配合到我們自己的文化體系中來呢？「五四」時代的「全盤西化」的輕易樂觀思想顯然已行不通了；這條路還得讓我們來重新摸索。怎樣開路呢？問題自然又回到了傳統社會的認識問題；這雖是中國民主化的一個消極步驟，但卻是必不可少的。在今天，我們倒不必急於為中國傳統社會「正名」；無論我們為它定一個什麼「名」——封建的、資本主義的，或半封建半殖民地的，都是不關痛癢的事。我們所要瞭解的是，傳統社會各方面的（從制度到人）實際情形如何？經過西方文明的衝激它本身發生了一些什麼變化？這兩大前提決定了，我們才能進而討論它自身的重新調節以適應民主原則的問題。

這樣一個龐大的課題，顯然不是一、二人之力所能夠擔當得起的；像我這樣不學的人更不免有志大才疏之嘆。但是我深覺此問題無論如何龐大、如何複雜，卻是我們必須予以解答的，因為它已成為每一個現代中國人的義務了。照我個人的初步想法，我們應該從兩方面來研究中國社會：人和制度。制度包括著政府、經濟、文化教育、社會各方面的制度；人包括社會各階層的人物。西方歷史家對西方歷史的研究多偏重於制度方面；而中國歷史家自司馬遷以降則比較著重人的活動，從人的活動中窺見制度的存在與運用。這種歷史研究法的分歧正象徵者「法治」與「人治」的異趨。當然，所謂「法治」與「人治」也祇是一種比較的說法；我們不能說西方社會祇有制度的活動而無人的活動，也不能說中國社會祇有人的活動而無制度的存在。事實上，任何一個文明社會都缺少不了制度的存在，更缺不了人的活動；所不同者乃在倚輕倚重之間而已。因此，在「人治」重於「法治」的中國傳統社會中，我們更有理由要從傳統社會中的各類型的人物說起。

中國傳統社會人物的類型極多，如帝王、官僚、紳士、智識分子、商賈、農民、百工、盜匪……等等皆是；本文卻首先要提出智識分子來談談。緣由何在呢？西方近代民主主義的興起最初便是由於文藝復興時代的少數智識分子在文學、藝術方面的努力，以及稍後的英、法若干政治理論家的提倡；在整個近代文明的發展中，西方智識分子所起的作用都是主導的。在近百餘年的中國，智識分子雖也有力爭主導的趨向，但結果卻殊少成績可言。中西智識分子的對比使我們瞭然於這二者在基本性格上是存在著差異的；這種差異曾在很大的限度內決定了中國近代民主自由運動的一再挫敗。因此，無論是為了檢討歷史或展望未來的民主旅途，我們都有必要來考察中國傳統智識分子的一般性格，並探究他當前所應轉變的方向。

二

我說中國智識分子，我的意思並不是指中國歷史上一切有智識的人；確切地說，應該是智識分子獲得獨立的地位而形成一個社會階層之後的「智識階級」。我們知道中國古代所謂「史官」，史官幾乎是古代唯一有智識的人；但史官卻不同於我所指的智識分子，為什麼呢？古代的階級關係是一元化的——政治、經濟與文化上的階級關係完全一致，那就是說知識完全為統治階級所獨占，而有智識的人（如史官）也祇是統治階級的臣隸，本身絕無獨立精神可言。

中國智識階級是什麼時候形成的呢？歷史告訴我們是春秋戰國時代。春秋戰國時代中國社會各方面都面臨著激烈的變動：孔子所說的「禮壞樂崩」，孟子所說的「世道衰微，邪說暴行有作」，以及莊子所論的「天下大亂，聖賢不明，道德不一」都是這一時代的社會狀況的最真實寫照。傳統的說法，認為春秋戰國時代學術始由官府而下私人，這是正確的，但並未能包括這一轉變的全部涵義。更正確地說，它意味著文化與政治的分立，智識分子脫離了統治者的隸屬地位，而正式成了一個社會階層——雖則祇是一個很低微的階層。關於古代智識分子——士的面貌，《孟子》有一段最真實寫照：「周霄問曰：『古之君子仕乎？』孟子曰：『仕。《傳》曰：孔子三月無君，則皇皇如也……士之失位也，猶諸侯之失國家也。』」又說：「士之仕也，猶農夫之耕也。」孔子是否「三月無君，則皇皇如」呢？這裡我們且不管它，這一段話至少告訴我們古代「士」是必須要「仕」的，正如農夫之必須耕種一樣。歐洲中古的農奴是束縛在土地上的，中國古代的「士」大概也是被桎梏在「仕」的體制之中。「士」的轉變顯然是在春秋，周室衰微的結果，史官流散各國，他們把官府的學術帶到了人間；所以《左傳》上引孔子的話說：「天子失官，學在四夷」，「禮失而求諸野」，莊子更明白地指出：「道術將為天下裂。」《漢書·藝文志》認為諸子皆出於王官，我們姑不論其真實性如何，但至少點破了中國智識階級最初形成的真象。「學而優則仕」，「可以仕則仕，可以止則止」，在這裡我們不祇能夠看到士的解放，而且更可以領略到他們那種初獲自由時的欣悅之情！

根據現存的文獻，智識階級的第一個創建者是孔子；孔子是被尊為儒家的開山祖師的，其實儒並非始於孔子，不過儒到了孔子的手裡的確已被賦予新的意義。《論語》上說：「女為君子儒，毋為小人儒」，可見儒不僅是早已存在著，而且還有了「君子」與「小人」的分化。《說文解字》在「儒」字條下註道：「柔也，術士之稱」；所以實是古代術士的通稱。不僅在古代如此，一直到現在儒字的使用依然是很廣泛的；例如《史記》載：「秦之季世，坑術士」，而我們卻通常稱之為「坑儒」。胡適之氏在〈說儒〉一文中曾根據儒的柔義而斷定古儒是柔儒的，經過孔子的一番振刷才變成剛毅的新儒。胡先生的觀察有相當的見地，他看到了中國智識分子的兩個不同的階段，但可惜並沒有更進一步地指出，儒之所以有此差異，乃是由於他們從臣隸的地位一變而為獨立的智識階級的緣故。作為臣隸，他們是不能不柔順的；直到「可以仕則仕，可以止則止」，「有道則見，無道則隱」的新時代，他們才是「不可以不弘毅，任重而道遠」的「士」。儒的轉變不必始於孔子，但孔子完成了這一轉變過程，則是無可懷疑的事。瞭解了這一歷史真相，我們便不會奇怪，何以當時的智識分子要讚頌他，「出於其類，拔乎其萃，自生民以來，未有盛於孔子也」（孟子引有若語）。在後世，孔子是被尊為「素王」的；祇此一名詞便足以說明中國智識階級的建立了。

三

明白了這一歷史轉變，我們可以進而探討智識階級形成以後的「士」的基本性格了。在西方，智識階級一開始便走上了獨立思維的道路，從事純粹客觀真理的發掘。希臘第一位哲人泰勒士（Thales）開宗明義即討論宇宙本體的問題；此外如赫拉克利塔（Heraclitus）、畢達哥拉斯（Pythagoras）諸哲人所研究的也都是自然知識。直到蘇格拉底、柏拉圖、亞里士多德，才偏重於社會知識的探討；但他們（如亞里士多德）對自然知識的瞭解仍然很豐富。中國智識階級——士卻不同，他們自始至終都在社會知識的圈子中打滾；因而很少關心自然世界的事。在形式上他們確已脫離了政治統治者的牢籠，不過還留下了一條尾巴。所以兩千年來道統與政統之間永遠是一筆糾纏不清的帳。這是不是由於「重道輕器」的觀念在作祟呢？我們無法肯定，也不必去窮究。可以肯定的是，中國智識階級的知識範疇確然很狹隘。孔子對大自然的態度是夠直截了當的：「天何言哉！四行時焉，百物生焉。」讓我來再引行《論語》上幾段話說明這一點：

衛靈公問陳於孔子。孔子對曰：「俎豆之事則嘗聞之矣，軍旅之事未之學也。」明日遂行。

樊遲請學稼，子曰：「吾不如老農。」請學為圃，曰：「吾不為老圃。」樊遲出。子曰：「小人哉，樊須也！」

孔子自己也很坦白地承認：「吾有知乎哉？無知也。有鄙夫問於我，空空如也」；又說：「君子於其所不知，蓋闕如也。」這種嚴格的知識分化使得孔子不能成為中國歷史上開天闢地的哲學家，而祇是傳統社會中的聖人。哲與聖的差異規定了中國傳統智識分子的道路。當然這種知識的分化並不止於儒家的孔孟；反對儒家，並被我們認為是勞工階級領袖的墨子，也同樣瞧不起自然知識。他說：「一農之耕，分諸天下，不能人得一升粟。……一婦之織，分諸天下，不能人得尺布。……不若誦先王之道，而求其說；通聖人之言，而察其詞。……雖不耕而食飢，不織而衣寒，功賢於耕而食之、織而衣者。」（〈魯問〉篇）這顯然和孔子在罵樊遲為小人之後所發表的那一套議論（「上好禮，則民莫敢不敬；上好義，則民莫敢不服；上好信，則民莫敢不用情。夫如是，則四方之民襁負其子而至矣。焉用稼！」），先後如出一轍。

現在我們不妨反過來看，知識階級的「知」的積極內容了。純粹的自然知識既然在「知」的範疇之外，在知識尚不甚發達，而且學術剛剛下私人的古代，剩下來還有多少知識呢？中國古代官學的遺產大體上祇有一個「禮」字。所以孔子說「不學禮，無以立」，並把「禮壞樂崩」看作「下無道」的徵象。但孔子一方面雖然是「述而不作，信而好古」的舊文化繼承人，另一方面他卻是「吾從眾」的新文化開創者。他明白社會是進化的：「逝者如斯夫！不舍晝夜。」這裡充分表現出他的歷史觀。因此，對於禮他也抱著同樣見解：「殷因於夏禮，所損益可知也；周因於殷禮，所損益可知也；其或繼周者，雖百世可知也！」史書記載孔子曾有過刪詩書、定禮樂的事，詳細情形如何已不可考，不過古代文化到了孔子手上受到一番新的洗刷，有了更豐富的新內涵，大致是可以相信的。

中國智識分子所熟悉的一套知識，具體地說，便是如何治理社會的知識。孟子曾明白地指出：「或勞心，或勞力；勞心者治人，勞力者治於人」；在孟子心目中，士正是治人的階級。但是很不幸地，士在中國歷史上卻從來沒有握過政權；他們那種「既不能令，又不受命」的性格又逼使他們無法走革命的路。在他們的面前存在著強大的王權；王權直接地阻塞了他們從政權的門徑。因此他們總是不滿意現實的政治，即使是雄才大略的漢祖、唐宗，在他們的眼中還是「霸道」，不是「王道」。「以力服人者霸」，儘管他們得在王權下討生活，但心底深處卻依然埋藏著強烈的反抗意識。

他們的知識使得他們對於現實政治發生了濃厚的興趣；因之也就和傳統的王權發生了衝突。這衝突如何解決呢？他們對於「小人」、「野人」是沒有信心的；勞心與勞力的分野把他們和廣大人民隔離了起來。這說明中國傳統智識分子為什麼一直不能和群眾攜手，共同反抗王權了。即使逼上梁山，加入了農民暴動的行列，他們也依然是處在輔助，而不是領導的地位。革命既不成，剩下來祇有改良一途，「托古改制」原是中國智識分子的拿手好戲，結果如何呢？事實告訴我們：歷史上幾位最著名的改良家如王莽、王安石、康有為最後都充當了悲劇的主角。改良失敗的原因一部分未嘗不是由於他們對王道理想的極端固執，而不肯遷就現實。

> 子貢曰：「夫子之道至大也，故天下莫能容夫子。夫子蓋少貶焉？」孔子曰：「賜，良農能稼，不必能穡；良工能巧，而不能順；君子能修其道，綱而紀之，不必其能容。今不修其道，而求其容，賜，爾志不廣矣！」

王道在中國智識分子的心中是一個整體的存在，絕不容有絲毫的捐蝕。「枉尺而直尋」已是很合算的買賣了，而孟子卻仍不肯放鬆：「枉道而從彼，何也？且子過矣！枉己者，未有能直人者也。」這點傻氣又關閉了通向改良之門。中國智識分子在政治運動上的失敗命運就是這樣不可避免地註定了的！

四

不可否認地，傳統智識分子在政治上雖然失敗了，在社會上卻獲得相當的成功。「士、農、工、商」，在傳統社會中，智識分子是高居四民之首的；隨著秦漢大一統王權的出現，智識分子開始走向特權之路。古時書籍困難，儘管孔子「有教無類」，但能成為「士」的畢竟是少數又少數。東漢以後，智識分子愈益形成一種獨占知識的貴族階級。學術是世襲的、家傳的；這便是所謂「累世經學」。士的階級嚴厲化的結果不祇獨占了知識，而且壟斷了「仕途」；可以累世經學的另一面就是「累世公卿」。魏晉南北朝的門第復因九品中正制的建立而平添一層保障；「上品無寒門，下品無世族」，士庶之間的階級鴻溝更是大大地加深了。

「刑不上士大夫」是封建社會中的不成文法，這條法律雖不是常常有效，但一般地說，知識分子確比其他階層的人們更少受王權的威脅。王權雖自馬上得來，卻不能在馬上治之；要治天下，知識是少不了的。因此儘管王權也並不完全滿意知識分子，然而無法不與他們共治天下；這裡發生了知識分子的從政問題，也就是道統與王權的一般關係究竟如何的問題。「士大夫」是一個混合性的名詞，「士」是知識分子，「大夫」是封建官爵，這一個名詞說明了知識分子和官僚是常常結成一體的。在這裡，我們遇到了中國智識分子的優劣兩重傳統。在近代研究中國歷史文化的各家各派中，我們常常看到兩個極端的說法：激進主義者由於痛恨傳統，遂一口咬定中國傳統智識分子都是帝王的奴才；復古主義者祇一味地向後看，於是纏綣過去，誤以為傳統士大夫都是得孔子之道的習徒。這兩種論調，卻也不盡是架空立說，反之，倒都能「言之成理，持之有故」。為什麼呢？他們各自看到中國智識分子的一方面，因而犯了以偏概全的毛病。

什麼是中國智識分子的優良傳統呢？這似乎無法作概括的解答。如果一定要追問下去，我們也不妨說，這種優良傳統主要是表現在智識分子的有抱負、有理想的博大氣概，剛毅進取的精神，不屈不撓獨來獨往的風格，以及有所不為的人生態度等等方向。

在「士」的階級剛剛建立起來的時候，知識分子的確是雄心萬丈的；他們根本看不起當時那一班政治上的人物。子貢問孔子：「今之從政者，何如？」孔子說：「噫！斗筲之人何足算也！」在《論語》中，我們常常看到孔子弟子問「政」、問

「士」的事，孔子的答案雖然因人而異（這是孔子一貫的作風），但大原則卻總離不開一個仁字，那便是通常所謂「仁政」或「王道」。「如有王者，必世而後仁」，可見「仁」字也正是「吾道一以貫之」的「一」。

有了這樣一種絕對的標準，早期智識分子對於出處問題便有所依據了；因此，所謂「有道則見，無道則隱」，所謂「用之則行，舍之則藏」也就有了明確的界說。這一念又到了孟子更為明顯：「三代之得天下也以仁，其失天下也以不仁，國之所以廢興存亡者亦然。天子不仁，不保四海；諸侯不仁，不保社稷；卿大夫不仁，不保宗廟；士庶人不仁，不保四體。」「仁」是什麼呢？歷來的說法紛紜，莫衷一是；簡言之，實是「愛人」，或「泛愛眾」，或「親親而仁民」。用現代話說，也就是愛廣大人民。熱愛人民不應祇是一時的情感衝動，所以孔子要人們「無終食之間違仁，造次必於是，顛沛必於是」。這當然是一件極難的事，「仁者其言也訒。……為之難，言之得無訒乎？」早期智識分子抱定了這樣一種偉大的理想，他們的氣概自然得浩然磅礴：「士不可以不弘毅，任重而道遠；仁以為己任不亦重乎？死而後已不亦遠乎？」在中國歷史上，許多繼承了這種優良傳統的智識分子如王安石、文天祥之流，差不多都具有「弘毅」的特質。

中國傳統智識分子都是奴顏婢膝的王權走狗嗎？近代的激進主義者的確是如此

肯定著的，但事實上卻不盡然。據《論語》中的記載，那位被尊為「萬世師表」孔老夫子便曾有過幫助「亂臣」造反的嫌疑，〈陽貨〉篇裡記載著兩個故事：

公山弗擾以費畔，召，子欲往。子路不說，曰：「末之也已，何必公山氏之也？」子曰：「夫召我者而豈徒哉？如有用我者，吾其為東周乎？」

佛肸召，子欲往。子路曰：「昔者由也聞諸夫子曰：『親於其身為不善者，君子不入也。』佛肸以中牟畔，子之往也，如之何？」子曰：「然，有是言也。不曰堅乎，磨而不磷；不曰白乎，涅而不緇。吾豈匏瓜也哉？焉能繫而不食？」

歷來學者站在正統派的觀點上，對這兩件事總抱著懷疑的態度，或加以曲解；其實大可不必。他們根本不瞭解早期的中國智識分子的偉大抱負與理想，更不懂得孔仲尼的迫切的用世情懷。孔子雖周遊列國，「干七十餘君」；他自信「苟有用我者，朞月而已可也，三年有成」。誠如孔子所說，智識分子並不是一串硬殼葫蘆，祇能掛在那兒，而不能吃。「道不行，乘桴浮於海」，這祇是孔子一時感慨；真正做到遁跡山林從赤松子遊的乃是後來的避世主義者，他們雖能明哲保身，卻喪失了傳統士人浩然磅礴的氣慨，說穿了並無足取之處。繼承著這種積極追求理想的精神者，後世也不乏其人；祇是由於中國特殊的社會結構和傳統智識分子的特殊性格所限，結果總是以悲劇來收場。王安石就很瞭解孔子這番心情，他的中年詩云：「頹城百雉擁高秋，驅馬臨風想聖丘。此道門人多未悟，爾來千載判悠悠。」可是王荊公雖然悟得此道，卻也展不了抱負，最後仍不免有「經世才難就」的慨嘆！此外，如歷史上青年運動的領袖陳蕃、范滂（漢）、陳東（宋）諸人也都是一些有血有淚的優秀智識分子；他們都為理想而犧牲了生命。「有舍生以求仁，無求生以害仁」，從這一方面看，中國智識分子的確有不少人是真的做到了。孔子取狂狷而鄙鄉愿，狂狷與鄉愿的分野已說明了中國智識分子的兩重傳統，「必也狂狷乎？狂者進取，狷者有所不為也。」據我個人的看法，中國知識分子的優良傳統在「狷」的方面的成就遠比在「狂」的方面為多。二十四史中獨行傳、隱逸傳裡所記載的許多高僧、逸士之流都是可以為「狷」字作註腳的。

在西方，很早就有政教分立的事；「凱撒的事歸凱撒管，上帝的事歸上帝管」，權力的界線分得很清楚。中國知識分子卻一向具有清明的理智：子產已發為「天道遠，人道邇」的思想，孔子更堅持「未能事人，焉能事鬼？」，「未知生，焉知死？」的人生態度。這種懷疑精神使中國知識分子無法走上西方基督教的道路，因之也不能形成一個有力的集團來發揮他們的優良傳統，限制王權的無限止擴張。董仲舒雖曾一度想抬出「天」來壓制王權，但結果卻遭到放逐的懲罰。佛教闖進了中國文化體系之內以後，對中國知識分子確起了一番衝激作用，於是乃有宋明新儒的宗教精神的產生。范仲淹以天下為己任，「先天下之憂而憂，後天下之樂而樂」，王安石、程伊川諸人更公開宣稱師道應駕乎君道之上。在主觀方面，積極用世的「狂」的精神是具備了，客觀的社會結構與智識分子的基本性格則依然如故；此所以范、王的革新變法先後都歸於失敗。但是真正受到這種以天下為己任的宗教精神的感召者，畢竟還是少數中的少數，大多數的知識分子仍是走著官僚的老路；王權便運用這批走狗來打擊那些侵犯凱撒權力的秀才們，於是黨獄迭興，明代的書院且一再遭到焚毀。在這裡我們應該可以瞭解，在傳統社會結構和知識分子的性格未發生變化之前，知識分子的優良傳統，無論是怎樣值得頌揚，都是不能發生實際作用的。這也就是說，王道在中國始終衹是知識分子的烏托邦幻想，在現實社會中，我們所能看到的則是另一套，這一套是中國傳統知識分子稱之為霸道的——用現代名詞說，是王權的絕對統治。

此外，中國知識分子還有一種優良的傳統也許值得一報，那便是獨立自主的個人主義精神。孔子說：「為仁由己，而由人乎哉！」，「君子求諸己，小人求諸人」；一切事都從自己開始做起正是中國知識分子的可珍貴的獨立精神。這種精神貫穿在每一個優秀的傳統知識分子的思想之中；孟子所謂「反求諸己而已矣」，王安石所謂「為己，學者之本；為人，學者之末」也都是發揮同一概念。《大學》上「修齊治平」的那一套程序是傳統知識分子所共同遵守的，這使得「窮則獨善其身，達則兼善天下」的話有了明確的解釋。有些人曾根據這些話來罵中國知識分子自私自利，我想如果他們不是別有用心，便是根本不懂得中國歷史。

五

傳統的知識分子是不是接受了這種優良傳統呢？在一開始我已指出優劣兩重傳統的問題；同時，在上一節的敘述中我還一再說明優良傳統祇是中國知識分子的一部分面貌，而且在全貌中還占著很小的面積。現在，我得開始探討中國知識分子的另一面——最被現代人所詛咒的一面。上面提到的孔子、孟子、王安石、文天祥……諸人在「兼善天下」的積極方面可以說都失敗了，然而在「獨善其身」消極方面卻能保持住士大夫的氣節，沒有墮落為王權的統治工具。但是也就是在士的階級剛剛建立之始，中國智識分子同時又展開了另一種傳統——醜惡的傳統。我已說過，兩重傳統的問題是從智識分子與政治的關係上產生的，因之，我在這一方面的分析也不能不在這種特殊的立場上展開；這就是說我不想從抽象的道德觀點上去決定中國智識分子的善與惡。

「士」的階級的獨立性似乎在中國歷史上祇存過一個極短促的期間；正當他們在為「可以仕則仕，可以止則止」的新處境而歡欣鼓舞的時候，他們之間的許多敗類卻不能像孔仲尼、顏回那樣經得起「一簞食，一瓢飲，在陋巷」的清苦生活的煎熬，而重新倒入王權的懷抱，換取個人的榮華富貴了。被孟子稱之為「一怒而諸侯懼」的「大丈夫」的張儀、公孫衍之流便正是中國官僚傳統的創始者。他們毫無原則、理想或抱負，唯一的目的便是做官，「三月無君，則皇皇如也」倒是他們的最真實的素描。太史公在《史記》中所描寫的蘇秦、張儀彼此勾結，保全祿位的那一套，到現在還活在中國知識分子之間。祇要有官做，合縱固好，連橫亦佳；民主可以成為入仕的手段便唱唱民主，專政能夠獲得富貴也不妨鼓吹專政。再不然就來一套「民主專政」，快刀切豆腐兩邊光，誰也不得罪，誰來都是一樣，好官我自為之。

知識分子的墮落也許要歸咎於春秋戰國時的商業活動。在一個商人勢力高漲的時代，一切事物都是商品化的。政治固然變成了一種買賣，知識也被打上了商品的烙印。呂不韋向他的父親討論說：「耕田之利幾倍？曰：十倍，珠玉之贏幾倍？曰：百倍。立國家之主贏幾倍？曰：無數。」於是呂不韋後來資助了秦異人而做成一筆最賺錢的政治買賣。《史記》又載蘇秦「出遊數歲，大困而歸。兄弟嫂妹妻妾竊皆笑之，曰：『周人之俗，治產業，力工商，逐什二以為務。今子釋本而事口舌，困，不亦宜乎！』蘇秦聞之而慚，自傷，乃閉室不出，出其書遍觀之」。但蘇秦畢竟是有眼光的，他認定了販賣知識可以獲得更多的利潤。其實把知識當作商品並非自蘇秦始，在《論語》中我們已可窺見這種痕跡：

> 子貢曰：「有美玉於斯，韞櫝而藏諸？求善賈而沽諸？」子曰：「沽之哉，沽之哉！我待賈者也。」

我引這段話並不是說孔子也是一個沒有原則的知識販子。相反地，「待賈」兩字正說明了孔子從政的原則性。但「待賈而沽」後來已成了我們日常談話中的習用詞句，而知識的商品化也就深深地銘刻在中國知識分子的心頭，漢時已有「遺金滿籯，不如教子一經」的話，「金」與「經」的並稱使我們體驗到讀書的意義。至於諺語所謂「學成文武藝，貨與帝王家」，商品化的味兒就更為濃厚了。知識的商品化在戰國時代還祇是一個開端，如果我們客觀地檢討一下中國知識分子的演變過程，我們將會發現這真是一部「一代不如一代」的歷史。

隨著大一統王權的建立，知識階級中也就出現了一批叛賣同伴、投降王權的傢伙！第一個當然要數到秦朝的李斯。嬴政滅了六國之後，李斯立刻恭維他的功業「自上古以來未嘗有，五帝所不及」，請他「上尊號，王為泰皇，命為制，令為詔，天子自稱曰朕」；奠定了中國王權的基本統治形態。但這還不夠。後來為了爭寵，李斯並不惜更進一步地抬高王權，打擊智識分子。他上書始皇說：

> 古者天下散亂，莫之能一，是以諸侯並作，語皆道古以害今，飾虛言以亂實。人善其所私學，以非上所建立。今陛下並有天下，別黑白而定一尊。私學而相與非法教，人聞令下，即各以其學非之。入則心非，出則巷議，夸主以為名，異取以為高，率群下以造謗。如此弗禁，則主勢降乎上，黨與成乎下。禁之便。

這樣，便開始了中國兩千年來的文化統治路線；漢武帝的「罷黜百家，表彰儒術」實不過摭拾其餘緒而已。如果我們說李斯是中國極權主義的始祖，應該是沒有人可以反對的。（另一位極權主義理論大師——韓非，是李斯的同學，卻被李斯誣害而死。）

漢朝則有公孫弘，也是一個出賣朋友，自求富貴的叛徒。《史記》上說他「嘗與公卿約議，至上前，皆倍其約以順上旨」。又描寫他的性格道：「弘為人意忌，外寬內深。諸嘗與弘有郤者，雖詳與善，陰報其禍。殺主父偃，徙董仲舒於膠西，皆弘之力也。」這真是一個典型的傳統官僚；所以轅固生要罵他「公孫子務正學以言，無曲學以阿世」了！

這種出賣智識，背叛朋友，祇求一己仕祿的士大夫，較之蘇秦、張儀等縱橫天下，結成一種國際性的官僚集團，而互通聲氣的氣派，顯然又等而下之了。

王權初建立之際並不懂得如何運用智識分子，倒是智識分子不甘寂寞，自動向王權賣身投靠的，慢慢地，統治者瞭解「儒生有益人主」了，於是才建立選舉制度，為智識分子開闢了仕祿之途。從此以後，智識分子祇要不堅持其仁政或王道的理想，便有了投降王權的正當途徑。這種制度何以不是民主的呢？因為它是從上而下，而不是從下而上的；而且，智識分子入仕之後祇是王權的統治工具，並非服務人民的國家公僕。儘管兩千年來，此一制度在形式上曾有著顯著的進步，但它的根本性質卻沒有發生過變化。就這種意義說，兩漢的察舉制固然如此，唐以後的歷代科舉亦莫不盡然。《文獻通考》曾有著如下的記載：

風俗之弊，至唐極矣。王公大人巍然於上，以先達自居，不復求士。天下之士什什伍伍，戴破帽，騎蹇驢，未到門百步，輒下馬，奉幣刺，再拜以謁於典客者，投其所為之文，名之曰：求知己。如是而不問，則再如前為者，名之曰：溫卷。如是而又不問，則有執贄於馬前，自贊曰：某人上謁者。

這一段話最足以說明科舉制度的真實性質；希望從這一制度中產生的官僚能服務於人民，那真是戛戛乎其難哉！明代的八股取士晚近攻擊者頗多，但大都著眼在它桎梏了聰明才智之士的這一點上，其實更值得我們惋惜的乃是它更進一步地打擊了知識階級的獨立性和智識分子的理想與抱負。吳敬梓在《儒林外史》中說得好：「禮部議定取士之法：三年一科，用五經、四書、八股文。王冕指與秦老看，道：『這個法卻定的不好！將來讀書人既有此一條榮身之路，把那文行出處都看得輕了。』」這該是何等沉痛的話。

當然，中國歷史上也未曾沒有知識階級較為得勢的時代；魏晉南北朝的門第制度便是很著名的例證。但，門閥勢力的高漲顯然是因為天下混亂，大一統的王權不存在的緣故；隋唐統一之後，王權就毫不猶豫地向他們開刀了。而他們由於主觀客觀因素的重重限制，最後也祇有再度向王權屈服。

再就王權對智識分子的態度來說，我們也很顯然可以看到他們是如何地一代不如一代：宋以前是所謂「三公坐而論道」的，到了宋朝大臣便祇能立而論政了。明朝根本連宰相制度也廢了，自此群臣都得跪而奏事。顧炎武說：「有明一代政治之壞，自高皇帝廢宰相始。」他的真正意思也正是指著智識分子的墮落而言的哩！

由於唐、五代，以至宋的印刷術的發明與進步，知識傳布的範圍大大地推廣了。於是智識分子在數量上也不斷地激增著。而同時，正如資本主義社會中商品的供求原則一樣，智識分子在統治者的心目中也就愈益減低其價值。從前可以有三顧茅廬的事情，歷史傳為美談；現在則送上門來也未必有人要。「待價而沽」讓位給遇賈即沽了。傳統的智識分子便是如此一步步地墮落到今天這步田地的！

六

傳統的智識分子近百年來正遭遇著一個史無前例的嚴重挑戰。西方文明闖破了閉關自守的古老中國之後，中國的知識界顯然激起了巨大的波動。這一挑戰首先摧毀了傳統的政治結構：延續了兩千年的大一統王權已無法維持它的存在；改朝換代的政治循環舊形態被打破了。這樣，知識分子在其與政治的關聯上所產生的那一套傳統生活方式，便不再能適用於新的社會情態。

那麼中國知識分子在最近這一段期間有沒有發生變化呢？肯定地說，是有了改變的。不過，這種改變也正如一切其他的歷史變化一樣，乃是緩慢的，一點一滴的。康有為的變法依然是王荊公新政的一脈相傳；他的《大同書》寫得那樣激進，而他的行為卻表現得極端保守。譚嗣同《仁學》一書也是驚世駭俗之作，要「衝決一切網羅」；而最後他竟因為「非有死者無以報聖主」，終於否定了自己的信念，跳不出傳統智識分子的舊窠臼。孫中山自幼受西方教育，思想比較新穎，應該不受舊傳統的束縛了；可是他早年的〈上李鴻章書〉都顯示出他的從上而下的傳統改良主義的傾向。所有這些故事都可以使我們瞭解傳統的包袱是如何沉重而不易改變。

不過，我們在這裡所討論的，不是如何完全拋棄舊傳統的問題。事實上，任何文化中的任何傳統都是富有延續性的，根本無法完全斬斷。文明的進步祇是一種永恆的「揚棄」過程而已。我們眼前的迫切問題是怎樣使舊傳統能夠圓滿而有效地配合到新社會處境中來。

晚近在討論中國社會文化的問題時往往由於一種不必要的民族自尊心而使學術研究流於無謂的意氣之爭。愛護舊文化的人們總不惜反覆陳述傳統中國的優美面。

我並不反對說中國文化有其優良的傳統，更不敢否定它的全部價值；我的意思祇是要說明，無論中國傳統文化如何地值得眷戀，在面臨著西方文化的挑戰和社會結構在遽速改變的時代中，它本身已絕不可能持續不變了。中國智識分子便正是此一轉變中的最重要的關鍵。

平心的檢討，中國智識分子在此大轉變期間的歷史反應是徹底失敗了的。這是一個最需要智識分子表現獨立精神、發揮領導力量的時代；而偏偏中國智識分子都處在一種無足輕重，最不易發生作用的社會環境中。當然，戊戌政變以來的歷次智識分子所領導的政治或文化運動，多少都表現出中國智識分子已在朝著爭取主導的方向努力，但結局卻都是悲劇性的；尤其使我們詫異的，智識分子在這種運動裡的作用愈高、勢力愈大，其失敗的程度往往也愈慘。「五四」運動便是一個最好的例證。這是什麼緣故呢？原因不止一端，我們僅從智識分子這一個方面來瞭解是不夠的，雖然這確是最重要的一個方面。其他方面的因素這兒無法涉及了；關於智識分子本身的因素我們可以籠統地說，是由於舊的傳統——特別是壞的傳統——依然活著的關係。「學而優則仕」的信條在大多數智識分子的心頭還是新鮮活潑的；「五四」以後我們看到了無數曾經是有所作為的智識青年走上了舊的官僚路線。極權主義在中國的成長與成功使得智識分子的問題陷於更為複雜的局面。在今天，中國智識分子事實上已完全喪失了獨立性，而恢復到古代「士者仕也」的文奴地位。智識分子至此真可謂墮落至極境了。

不可否認地，如果民主要實現於中國，如果中國文化還要延續下去，智識分子必須重新站起來，在中國現代化的偉大運動中擔負起領導的任務。反之，如果他們依然一成不變地繼續沿著舊的官僚路線走，甘心作統治者的工具與尾巴，我們實在看不出中國民主自由運動會有什麼希望！分析到了這裡，我不願意再隱藏我個人對於中國智識分子究當如何改變自己以適應新社會處境的看法了。根據我的淺見，智識分子的改造首先必須與舊有的優良傳統聯繫起來，不能讓社會發展的線索中斷。近代中國智識分子之一再失敗，一方面固然是極權主義侵入的結果，另一方面，我們太抹煞傳統的作用未嘗不應該負相當的責任。中國智識分子的優良傳統不僅不是民主原則的敵人，倒反而是民主在中國的實踐所必須具備的——儘管不是充足的——條件。

從歷史上看，中國智識分子是從上層貴族階級中解放出來的，而不是從下層的鄉土社會中成長起來的。西方的中產階級有其在城市中產生的智識分子代表他們說話，所以逐漸能創造出民主的社會。中國社會中本已缺乏西方的中產階級；中國智識分子雖有來自田間的農民子弟，但經過統治者的巧妙安排，他們入仕之後便無法再回過去服務於鄉梓。等到衣錦榮歸的時候，他們已不再是農民的同夥，而是高高在上的鄉紳了。農民把子弟培育成了「器」，最後也許還要受到自己孩子的剝削與壓迫，這真是中國歷史上一種值得玩味的悲劇。

中國智識分子不是屬於人民的，他們和廣大人民之間隔著一道不太淺的鴻溝。早在春秋戰國學術下私人的時代，這鴻溝便已存在著；「君子」與「小人」的分野，「道」與「器」的分化，使得中國智識分子不能繼續向下降，走到廣大人民中間去。這道鴻溝目前並沒有消除，因之也依然成為中國民主自由運動的重要障礙。中國智識分子怎樣才能改變成服務人民的新人物呢？問題的關鍵也許便在於「上」「下」之別。那就是說他們必須不再是走從上而下的改良主義，而是走從下而上的革命道路。智識分子需要再度獲得解放；但在性質上卻不能是古代士的解放的重複。如果他們祇能取得獨立的智識階級的舊形態，而不能和廣大人民打成一片，則中國社會民主化的問題還是沒有得到解決。傳統的智識分子太著重政治，但又不能聯合人民共同爭取政治的權力，所以他們在政治上始終居於失敗者的地位。因此即使為了智識分子本身的前途著想，他們也祇有一反過去的生活方式，擴大智識的範疇，使科學的智識和社會的智識齊頭並進、合而為一，從政治以外的其他許多方面去服務人民。在政治上，他們的責任是要領導人民，爭取多數人民的權利；而不是僅僅為了實現個人的理想與抱負而從事政治運動。換句話說，他們應該把傳統理想中的「仁道」或「王道」的內容改為近代的民主主義。當然，那種祇顧個人榮華富貴作打算的官僚傳統，更是必須首先予以徹底清除的毒素了。

士不可以不弘毅，任重而道遠；仁以為己任，不亦重乎？死而後已，不亦遠乎？

無論是為了自身的前途或偉大的理想，今天的中國智識分子都得從根本上反省自己、再造自己；否則他們不可能有力量來挑這沉重的擔子，走這遙遠的路！

重重壓迫下的中國商賈
——中國傳統社會人物批判

一

我們常常聽人說，近代民主是資本主義的產兒。對不對呢？我想稍稍熟悉近代史的人應該可以分辨出這話不合事實。可是這裡卻給了我們一種啟示，近代資產階級對於民主體制的創建曾有著主要的貢獻。而所謂資產階級則祇是商人的代名詞。羅素氏曾告訴我們：「商業與自由主義相連的理是很顯然的。貿易使人與異於己的習尚相接觸，因之，也就打破了已往閉塞的觀念。買者與賣者之間的關係是雙方都原於自由者之間的談判。當買者或賣者能夠瞭解對方的觀點時，對於談判是極有幫助的。」（《哲學與政治》）這番話的確找到民主與商業行為之間的內在邏輯關聯。商人，不僅是民主制度的創造者與維護者之一，而且他本身的生活方式也符合於一般的民主原則。

二

商人和民主之間的關係既如此密切，我們在分析中國傳統社會人物時，顯然便不能不對他加以注意。中國商人的性質如何？他在社會上占據了怎樣一種地位？他和中國民主的遲遲未能實現有無關係與影響？以及他在未來的中國民主革命的運動中應該並可能發生怎樣的作用？本文便打算根據史實對這些問題作嘗試性的解答。

商人初在古代文獻中出現的時候似乎也和智識分子——士一樣；乃是隸屬於官府的。據《國語》的記載：「公食貢，大夫食邑，士食田，庶人食力，工商食官，皂隸食職」；（〈晉語四〉）又說：「處工，就官府；處商，就市井。」（〈齊語〉）這樣看來，商人最早也是統治機構中的一部分，而不能享有絕對的自由的。（近代極權國家中的合作社組織之出現使我們有理由相信商業在古代可能一度曾為官府所獨占。）孟子也有一番話很可以助證「工商食官」的說法，他說：「古之為市者以其所有易其所無，有司者治之耳。有賤丈夫焉，必求壟斷而登之，以左右望而罔市利，人皆以為賤，故從而征之，征商，自此賤丈夫始矣。」（〈公孫丑下〉）這真是描寫商業從官府到私人的變遷的最好文字。但《國語》、《孟子》所記載的祇是春秋戰國時代的事，這時中國社會已在遽速的蛻變之際，商人階級已乘時崛起；因之，我們所看到的最多也不過是古代遺留下來的痕跡而已。究竟商人是不是一直隸屬於官府的？其間又存在著怎樣一段關係？因為文獻不足，我們已無從詳考，也不必去窮究。這裡，還是讓我們從有記載可據的時代來追溯一下中國商人的一般狀況吧！

三

在中國傳統的歷史著作或其他文獻中，除司馬遷的〈貨殖列傳〉外，對於商人幾乎都抱著一種鄙薄的觀念。而事實上，商人也的確是處在社會的最低層，「士農工商」的次序已明白地告訴我們，商賈是四民之末。這種社會的分層秩序起於何時呢？從既存的史料上看，是春秋時代：《管子》書中即已一再有「士農工商」的說法（〈乘馬第五〉、〈大匡第十八〉），《左傳》亦有「庶人工商」的排列（見桓二、襄四、哀二等處）。可是令人感到奇怪的是，春秋戰國時代正是中國商人階級最得勢的時代；而「士農工商」的社會分層亦竟出之於「通貨積財，富國強兵」（《史記．管晏列傳》）的管仲之口！不但如此，在管仲所設想的社會中，這種社會秩序還是不變的、世襲的。他在分別陳述了「士農工商……不可使雜處」的原因之外，最後這樣地說到商人：

今夫商群萃而州處，觀凶飢，審國變，察其四時，而監其鄉之貨，以知其市之賈，負任擔荷，服牛輅馬，以周四方；料多少，計貴賤，以其所有，易其所無，買賤鬻貴，是以羽旄，不求而至，竹箭有餘於國，奇怪時來，珍異物聚，旦昔從事於此，以教其子弟，相語以利，相示以時，相陳以知賈。少而習焉，其心安焉，不見異物而頡焉，是故其父兄之教不肅而成，其子弟之學不勞而能，夫是故商之子常為商。（《管子．小匡第二十》）

在這裡，不僅商人的功能已有了詳細的規定，而且「商之子常為商」一語更說出了商人階級的變遷的可能性很少。換句話說，一旦為商人，世代都得是「四民之末」；在傳統社會中，商人往上爬的機會的確不多。管子所嚮往的是一個安定的、靜止的社會局面；在這一點上，荀子也有著同樣的見解：「農分田而耕，賈分貨而販，百工分事而勸，士大夫分職而聽，建國諸侯之君分土而守，三公摠方而議，則天子共己而已矣！」（〈王霸〉篇）這樣，治者與被治者之間的關係，就可以永遠不變。

四

但是，無論主觀上傳統的士大夫怎樣鄙夷商賈；客觀方面，春秋戰國時代的商人勢力卻大大地躍進了一步。《左傳》所載關於鄭國商人弦高途遇秦侵鄭之師，因而冒充使臣以乘韋先、牛十二犒師的故事，便已顯示出商人的驚人財富。如果商人勢力不是已經發展得很巨大，則這類事實是無法理解的。

到了戰國時期，商人階級在數量上是更為激增了。孔子的弟子中已不乏經商致富之徒。像子貢竟至「結駟連騎，束帛之幣以聘享諸侯，所至，國君無不分庭與之抗禮」。（《史記．貨殖列傳》）此外如范蠡、白圭、猗頓諸人也都「與王侯埒富」。正是由於商人勢力的高漲，「富」的觀念才逐漸流行，並駕乎「貴」之上了。我試看那時的文獻，「富」總是列在貴之前的：「富與貴是人之所欲也」，「不義而富且貴，於我如浮雲」，「死生有命，富貴在天」（均見《論語》）；「人亦孰不欲富貴」，「富貴不能淫」，「其妻問所與飲食者，則盡富貴也」（均見《孟子》）；「富貴而驕，自遺其咎」（《老子》）；「故若顏闔者，真惡富貴也！」（《莊子》）。我不相信「富貴」兩字的秩序是出於偶然；從這裡多少可以看到一些財富與權力的消長的痕跡。

「富貴」一詞的意義還不僅止於富重於貴；可能尚含有「從富到貴」之義。這在史籍上倒也不是沒有例證可考。前面說過的子貢，已是從富到貴，並使其師孔子，名揚天下；而最著名的例子則莫過於呂不韋。據《戰國策》載：

濮陽人呂不韋賈於邯鄲，見秦質子異人，歸而謂父曰：「耕田之利幾倍？」曰：「十倍。」「珠玉之贏幾倍？」曰：「百倍。」「立國家之主贏幾倍？」曰：「無數。」曰：「今力田疾作，不得暖衣餘食；今建國立君，澤可以遺世，願往事之。」（〈秦策五〉）

《史記．呂不韋列傳》也說：「子楚為秦質子於趙。……居處困，不得意。呂不韋賈邯鄲，見而憐之，曰：『此奇貨可居。』」很明顯的，呂不韋是把政治當作買賣來做的；同時，這也是從富到貴的最典型的說明。此外，從富到貴的人也還不少，像《史記》所載的烏氏倮、巴蜀寡婦清，都是因富而獲得秦始皇的賞識，遂與權勢發生聯繫。所以司馬遷慨乎言之曰：「夫倮，鄙人牧長；清，窮鄉寡婦。禮抗萬乘，名顯天下，豈非以富邪！」（〈貨殖列傳〉）其實這還是一些關於個人從富到貴的例證；我們更不難發現，當時有些國家也是從富到貴的；那便是所謂「富強之國」。「富」在「強」之前，亦正和「富」在「貴」之前的意義無殊。像計然、范蠡之於越國，集中全力經營商業，終於「修之十年，國富，厚賂戰士，士赴矢石，如渴得飲，遂報強吳，觀兵中國，稱號五霸」。又如齊國早在太公時代即以工商業致富，後來國運中衰，直到桓公時管仲相齊，因興鹽海之利，復致齊於富強，「九合諸侯，一匡天下」。這些都足以說明商業不僅能夠使個人從財富而取得權力，而且對於國家也是一樣。我們近察近代資本主義國家的興起，當更可以深一層地瞭解這一點。因此司馬遷說：「上則富國，下則富家；貧富之道，莫之奪予！」

商業發達，商人勢力高漲的趨勢並沒有隨著戰國的終結而停止；相反地，在秦代的統治之下，商人階級是很受到鼓勵的。我們祇要看「秦始皇帝令倮（即烏氏倮）比封君，以時與列臣朝請」，以及為巴蜀寡婦清築女懷清臺種種措施便可以知道了。就是在漢初，商業仍是欣欣向榮，經商致富者亦比比皆是。太史公且曾以「素封」目之；這和孔子之成為「素王」實具有同樣的意味。然而不幸得很，中國商人卻不能像近代的西方中產階級那樣，無拘無束地發展下去，而是有其社會的必然限制；這限制便是中央集權的王權。因之，商人力量便不能達到危害或威脅王權的獨占局面的程度。近代西方的歷史卻不同，民主政治在初期是和資本主義的發達同其方向，所以商人勢力的高漲不僅不曾構成新興政治力量的阻礙，而且還可以幫助它的發展。秦漢時代的中國商人則恰恰相反，他的確已經到了要分潤政權的飽和點；而此政權的性質卻是和商人的利益相衝突的。秦代可能由於呂不韋的緣故，對於商人階級尚不加摧殘，同時復因統一時間過短，一時也還無暇及此。漢代政權安定下來之後，這問題便立刻面臨著考驗：王權是向商賈低頭呢？抑是壓迫呢？結果答案是屬於後者，是壓抑商人。這樣，才開始了傳統的重農抑商的經濟政策，也奠定了「從貴到富」，王權至上的基本統治形態！

五

近代西方資產階級不僅在政治上有其同路者，在文化上也同樣有代言人。被中古教會所深惡痛絕的牟利精神，在宗教革命以後竟被一些新教徒們歌誦為「經濟的美德」（economic virtue）了。英國古典經濟學的興起，為資產階級要求經濟自由，牟利的行為更是有了穩固的理論基礎。當然，我絕不是說，倡導這些經濟理論的人都是「資產階級的」學者，代表著一定的「階級利益」；但西方近代智識分子和資產階級相呼應卻是不可否認的事實。

和西方歷史相對照，中國商人階級孤立無援的窘態竟顯得格外清晰。中國的商賈差不多在剛剛抬頭的當兒，就遭到了智識分子的迎頭痛擊，而被列為賤人之流。孔子似乎對於商賈還沒有存什麼偏見；他所謂「君子喻於義，小人喻於利」實是從道德觀點上立論，並非專罵商賈的。

不但如此，孔子並坦白承認自己「待賈而沽」；這更足以證明他沒有鄙視商賈的意思。可是到了孟子時代卻不同了。孟子一方面公開的罵商賈是「賤丈夫」；另一方面復在「君子」與商賈之間劃下了一道不可踰越的界線。下面這一段對話很有趣味：

陳臻問曰：「前日於齊，王餽兼金一百而不受；於宋，餽七十鎰而受；於薛，餽五十鎰而受。前日之不受是，則今日之受非也；今日之受是，則前日之不受非也！夫子必居一於此矣！」孟子曰：「皆是也。當在宋也，予將有遠行，行者必以贐。辭曰：『餽贐。』予何為不受？當在薛也，予有戒心。辭曰：『聞戒。』故為兵餽之，予何為不受？若於齊，則未有處也。無處而餽之，是貨也。焉有君子而可以貨取乎？」（《孟子．公孫丑下》）

誠然，從另一角度上看，「君子不可以貨取」的思想也許是對的。但士大夫對於商賈的卑視觀念卻已無形中在這一段話裡深深地顯露了出來。在這以後，商和賤便下了不解之緣，永遠連在一起了——無論在文字上或意識中都是如此。所以像司馬遷這樣比較開明的史家有時也還不免要說「行賈，丈夫賤行也」之類的話。就是這樣，太史公卻已為了〈貨殖列傳〉而屢遭後儒非議，說他重利而輕義哩！傳統智識分子對於商賈的偏見真是深得可怕，商人是賤者，不與商人通婚……等等荒謬的觀念至今仍殘存在我們的心靈深處，而構成了社會民主化的重要障礙。

六

中國智識分子何以特別憎惡商賈呢？我的看法是基於兩層原因：一是事實上的，一是理論上的。現在我們先談第一層。

從事實上說，智識分子是想獨占政權的；他們一方面鄙視現實的統治者是「斗筲之人」，另一方面則認為「有大人之事，有小人之事」，「勞心者治人，勞力者治於人」。誰是大人呢？自然更是智識分子自己。誰是小人呢？農民既已在小人之列，何況比農民還要賤的商賈呢！所以孟子又說：「體有貴賤，有大小。無以小害大，無以賤害貴。養其小者為小人，養其大者為大人。……飲食之人，則人賤之矣！」（〈告子〉）這樣，商賈在事實上便不可能和智識分子共爭或共享政權了。這兩者在根本利益上不是一致，而是相衝突的；商賈的財富如果成了從「賤」到「貴」的條件，那麼知識分子的「學而優則仕」的道路勢必得發生問題。因之，儘管智識分子在政治上居於失敗的地位，也儘管在王權掌握者的眼中他們依然是「治於人」的，可是智識分子本身卻還不屑與商賈為伍。「寧為玉碎，毋為瓦全」，中國的智識分子從來沒有和商賈攜手共抗王權的打算。他們無論如何都要把持住「學而優則仕」的門徑。這在《論語》中已經微露消息：「子曰：『君子謀道不謀食。耕也，餒在其中矣；學也，祿在其中矣。君子憂道不憂貧。』」（〈衛靈公〉）「學」的裡面包括了「祿」，證之於後來的歷史，真是一點也不錯。荀子在〈儒效〉篇裡則說得更明白：

我欲賤而貴，愚而智，貧而富，可乎？曰：其唯學乎。彼學者，行之，曰士也；敦慕焉，君子也；知之，聖人也。上為聖人，下為士、君子，孰禁我哉？

這還祇是一般性說法，另外荀子更直截了當地把士、農、工、商在社會上所應占據的地位劃分得清清楚楚：

> 故仁人在上，則農以力盡田，賈以察盡財，百工以巧盡械器。士大夫以上至於公侯，莫不以仁厚知能盡官職。夫是之謂至平。（〈榮辱〉篇）

「仁人」和「士大夫」是高高在上的統治者，農工商則各盡所能，以受治於下。在荀子的時代，大一統的王權尚未產生，故最高的統治者在理論上還可以是「仁人」；但秦漢以後，事實上「仁人」卻被從馬上得天下的帝王所代替了。自此以降，王權和智識分子打成了一片，「賤丈夫」的商賈是看不到金龍寶殿的。

再就理論上說，智識分子和王權掌握者一樣，對於商賈抱著一種偏見：認為商業祇是一種剝削性的，而不能創造任何價值的經濟活動。因此他們都認為農業是「本」，而商業是「末」，如《治要》載崔寔政論云：「世奢服僭，則無用之器貴，本務之業賤矣。農桑勤而利薄，工商逸而入厚，故農夫輟耒而雕鏤，工女投杼而刺文，躬耕者少，末作者眾。」桓寬《鹽鐵論》曰：「商所以通鬱滯，工所以備器械，非治國之本務也。」又說：「國有沃野之饒而民不足於食者，工商盛而本業荒也。」（〈本議第一〉）王符也說：「一夫不耕，天下必受其飢者；一婦不織，天下必受其寒者。今舉世舍農桑，趨商賈，牛馬車輿，填塞道路，游手為功，充盈都邑，治本者少，浮食者眾。」（《潛夫論．浮侈第十二》）這種農本商末的經濟思想並不僅僅存在於智識分子的筆下；同樣地，在統治者的心中，工商也是沒有價值的，因此帝王還常常明令強調這一點，如《漢書．文帝紀》二年詔曰：「農，天下之大本也，民所恃以生也，而民或不務本而事末，故生不遂。」又〈昭帝紀〉元年詔曰：「天下以農桑為本。」在經濟生活中，本是農業而不是工商；但在我們的傳統的觀念中，經濟生活卻並不是整個社會的根本。中國智識分子所嚮往的社會不是富裕的而是安定的；中國統治者也同樣不希望財富力量可以壓倒權力。孔子早就說過「不患寡而患不均，不患貧而患不安」的話；又說「奢則不孫，儉則固；與其不孫也，寧固。」（《論語．述而》）孟子「仁義而已矣，何必曰利」的名言更是我們所熟悉的；而他認為理想的經濟狀況也不過是「仰足以事父母，俯足以畜妻子，樂歲終身飽，凶年免於死亡」的「黎民不飢不寒」的小康水準而已。在這種思想的支配之下，大規模的商業發展顯然是不可想像的事。

此外還有一種偏見使得智識分子鄙視商賈，那便是說商賈是道德的破壞者。孔子已發為「君子喻於義，小人喻於利」的思想；孟子更引陽貨的話肯定「為富不仁矣！為仁不富矣！」老子也認為「朝甚除，田甚蕪，倉甚虛；服文采，帶利劍，厭飲食，財貨有餘；是謂盜夸，非道也哉！」這種從道德觀點否定商賈的理論一直到現在都還活在許多人的心頭。不僅此也，「商人重利輕別離」，「商女不知亡國恨」，即使在詩人的筆下，商賈也是一文不值哩！

七

商賈所受到的壓迫祇是精神上或理論上的嗎？絕非如此。在現實社會中他們碰到的是更多的壓抑和歧視。在中國歷史上，智識分子不僅沒有和商賈攜手共抗王權，反之，他們倒是輔助統治者打擊商賈的。

在孔子之世，智識分子還不太憎惡商賈，而商賈的社會勢力也還有限。故子貢經營商業，孔子雖不贊成，也還沒到深惡痛絕的地步；他祇輕鬆地說：「賜不受命，而貨殖焉，億則屢中。」（《論語．先進》）可是到了孟子以後，商賈卻被咒罵為「賤丈夫」了。戰國末期，呂不韋相秦，一方面固表現出商賈勢力的普遍高漲，另一方面則顯示商賈已有分享政權的要求了。而秦始皇之所以封烏氏倮和寡婦清也未嘗不是由於秦政權和商賈利益有共同之處的緣故。在《史記》的〈貨殖列傳〉中，我們很可以窺見商賈勢力大有凌駕乎王侯之上的趨勢。猗頓的「與王者埒富」，倮與清的「禮抗萬乘」，子貢的與國君分庭抗禮，蜀卓氏的「富至僮千人，田池射獵之樂，擬於人君」……等等語句已充分地說明了「富」而「貴」的秩序。《史記》記述當時社會情況說：「凡編戶之民，富相什則卑下之，伯則畏憚之，千則役，萬則僕，物之理也。夫用貧求富，農不如工，工不如商，刺繡文不如倚市門……」，由此可見財富此時已成為劃分貴賤的決定性的標準了。難怪司馬遷最後感慨地說：「千金之家比一都之君，巨萬者乃與王者同樂。豈所謂素封者邪？非也？」在商賈勢力高漲之下，「學而優則仕」，自然也就不是太靠得住、太具有引誘力的路線了。這樣，我們看到了學而不優則賈的社會風氣的轉變。子貢的「不受命，而貨殖」，以及陶朱公的棄貴就富還祇是突出的例子；「而曹邴氏尤甚，以鐵冶起，富至巨萬……鄒、魯以其故多去文學而趨利者」，卻是一種普遍的潮流了。

但是，這些都是發生在王權尚未統一，或雖統一而猶未鞏固的時代；等到大一統的王權安定下來之後，商賈的勢力立刻便受到了壓迫，於是而有漢代抑商政策的出現。

據《史記．平準書》所載：「天下已平，高祖乃令賈人不得衣絲乘車，重租稅以困辱之」，但是這種賤商政策的結果如何呢？〈平準書〉又告訴我們：「富商大賈或蹛財役貧，轉轂百數，廢居居邑，封君皆低首仰給。」鼂錯也說：「今法律賤商人，商人已富貴矣；尊農夫，農夫已貧賤矣。故俗之所貴，主之所賤也；吏之所卑，法之所尊也。」（《漢書．食貨志上》）士大夫輩看到這種情形，非常痛心。他們向帝王迫切陳詞，賈誼說：

古之人曰：「一夫不耕，或受之飢；一女不織，或受之寒。」生之有時，而用之亡度，則物力必屈。古之治天下，至孅至悉也，故其畜積足恃。今背本而趨末，食者甚眾，是天下之大殘也；淫侈之俗，日日以長，是天下之大賊也。……今毆民而歸之農，皆著於本，使天下各食其力，末技游食之民轉而緣南畮，則畜積足而人樂其所矣。（《漢書．食貨志》）

鼂錯也建議說：

而商賈大者積貯倍息，小者坐列販賣，操其奇贏，日游都市，乘上之急，所賣必倍。故其男不耕耘，女不蠶織，衣必文采，食必粱肉；亡農夫之苦，而有仟伯之得。因其富厚，交通王候，力過吏勢，以利相傾；千里游敖，冠蓋相望；乘堅策肥，履絲曳縞。此商人所以兼併農人，農人所以流亡者也。……方今之務，莫若使民務農而已矣。（《漢書．食貨志》）

這種「毆民而歸之農」的抑商重農的基本政策是中國統治者兩千年來所共同遵守著的。但怎樣使這一政策發揮實際的效用呢？智識分子卻並不很清楚，而僅僅靠法律的壓制又根本不可能，那麼這問題究竟怎麼解決呢？歷史的答案是很有趣的；正如一部分智識分子的投降王權，出賣自己階層一樣，商賈所受到的致命的打擊也同樣是來自本身的階級叛徒。我們知道商人勢力的真正挫敗是由於漢武帝時代的鹽鐵專賣與平準均輸的政策；這一政策的建議者與實行者則是孔僅與桑弘羊。而孔、桑兩氏竟都是商賈出身，這一史實向來沒有受到史家的注意，但實際上卻非常有意義。《史記．平準書》說：「於是以東郭咸陽（按：亦人名）、孔僅為大農丞，領鹽鐵事；桑弘羊以計算用事，侍中。咸陽，齊之大煮鹽；孔僅，南陽大冶，皆致生累千金……。弘羊，雒陽賈人子……。故三人言利，事析秋毫矣。」（又按：王莽行五均六管之政亦多用商賈。）智識分子擬定了抑商的原則，而由商賈自己來執行；因之，其中就難免沒有假公濟私的事發生，但在古代的中國，「貴」的誘惑力畢竟大於「富」，故真正向王權賣身投靠的商賈也不乏人，桑弘羊便是其中之一。「弘羊以諸官各自市，相與爭，物故騰躍，而天下賦輸或不償其僦費，乃請置大農部丞數十人，分部主郡國，各往往縣置均輸鹽鐵官，令遠方各以其物貴時，商賈所轉販者為賦，而相灌輸。置平準於京師，都受天下委輸。召工官治車諸器，皆仰給大農。大農之諸官盡籠天下之貨物，貴即賣之，賤則買之。如此，富商大賈無所牟大利，則反本，而萬物不得騰踊。故抑天下物，名曰平準。」（〈平準書〉）這樣，「即以其人之道還治其人之身」，中國的商賈終於無法自由發展，而被政治強力壓斷了他們的生機！

但出身商賈的「賤丈夫」而能為帝王所用的畢竟祇是少數又少數，而且還限於極短促特別時間之內。換句話說，這祇是權變而非常道，常道是王權招攬智識分子作輔治者。因此，在此後二千年間，禁止工商仕進的法令雖被一代代地頒布著，如北魏太和元年詔曰：「工商皂隸，各有厥分，而有司縱濫，或染流俗。自今戶內有役者，唯止本部丞，若有勳勞者，不從此制。」（《資治通鑑》卷一三四），隋文帝開皇十六年亦下詔工商不得仕進（同上，卷一七八），唐高祖禁止商賈與士人為伍；而明代商賈的壓迫與限制也是重重疊疊，數不勝數的。王權何以如此壓迫商賈呢？最根本的原因是商賈勢力的發展最後必然會侵犯王權的利益，甚至取而代之。「富」對於「貴」的威脅並不是空想的而是實際存在的。「吳，諸侯也，以即山鑄錢，富埒天子，其後卒以叛逆。鄧通，大夫也，以鑄錢，財過王者。故吳、鄧氏錢布天下，而鑄錢之禁生焉！」（《史記．平準書》）這些生動的例證都說明了「商賈」為什麼會不見容於帝王。明太祖和富賈沈萬三鬥爭的傳說更足表現「貴」與「富」之間的矛盾。「貴為天子，富有四海」的王權是絕不能容忍富而貴的道路的。

八

名經濟學家桑巴特（W. Sombart）在他的*Modern Capitalism*一書裡，認為在資本主義以前的社會，人們是從權力得到財富（權力的財富），而在資本主義社會中人們則是從財富得到權力（財富的權力）。在中國歷史上，人們確是從權力獲得財富的，從財富獲得權力的事則極少見；那也就是說，我們傳統的社會是貴而富，而不是富而貴的。但近百年來中國社會發生了變化，傳統的商賈在性質上亦因而不盡同於往者。清代商人勢力的增長可以從其納款求官以及商賈子弟捐監之事的普遍窺見一斑。唯在社會上，商賈依然賤居四民之末的地位。那麼商賈是否已享有政權了呢？事實上清政權依然沒有包含商賈的利益。清末的變法與革命雖然首獲得商賈的參助，然而真正發生了決定性的力量的卻並不是商賈，而是智識分子。即使在面臨著革命的時候，智識分子和商賈的合作也沒有達到融洽的境地，中國近代的民主革命所以不像西方那樣順利而有成就，我想這也是一個重要的原因。

在西方帝國主義的經濟侵略之下，中國商賈的舊的束縛沒有解除，竟又遭到了新的壓迫。因之，我們一方面看到不少商賈的買辦化、走狗化；另一方復看到更多的商賈祇知顧一己私利而缺乏獨立的精神，甚至連追求自身的自由解放的勇氣都沒有。關於這一方面，近人已有不少的分析，我在此毋須多說。但是中國商賈的悲慘命運並未到此為止，中共當權之後他們實已進入了滅亡的階段。中國傳統的大一統王權和極權主義比較起來竟是小巫見大巫，「工商食官」的古代奴隸制度不僅重見於今日而且還變本加厲。商賈想在中共統治下謀求自身的發展。顯然無異於「與虎謀皮」了。

誠然傳統社會對於商賈的重重壓迫是使得商賈無法發展的根本原因，但商賈自身之祇求急功近利，沒有遠大眼光和「仁以為己任」的氣魄，也未始不應負相當的責任，「明足以察秋毫之末，而不見輿薪」正是他們的最好的素描。商賈在今天這樣惡劣的環境之下究竟應該怎樣求取其自身的生存與發展呢？在這裡我無法詳說。我祇能籠統地說，商賈必須和社會上一切其他被壓迫的階層——特別是智識分子，取得密切地合作，共同爭取中國民主的實現；打破從古到今的權力控制財富的絕對統治的舊社會形態。但是這不是說我們要走近代西方資本主義從財富到權力的老路；歷史早已證明那也是一條去不通的死巷。權力不應控制財富；財富也同樣不該控制權力。民主的社會祇是要使一切社會力量獲致協調，並環繞一個共同的旋律而永恆地發展而已。

孔子說：「無欲速，無見小利。欲速則不達；見小利則大事不成。」這話對於中國古代的政治適用，對於近代的中國商賈則更為適用。我願把它贈給重重壓迫下的中國商賈！

輯四

一九五四年

十九世紀法國浪漫派之史學

甲、迭利兄弟、巴朗及其史學

迭利（Augustin Thierry）開創了一種新鮮而生動的史學方法。他不把過去的事物看作是僵死的；他認為我們現代人之間存在著與以往歷史舞臺上的角色相似的感情。他之所以對歷史學發生興趣，據他自己說，完全是受了沙陀布朗氏《殉道者》（*Les Martyrs*）一書的影響。他曾從事過很多年的政治生涯，一度且成為聖西門（Saint-Simon）的信徒，並任過他的秘書；但後來因無法容忍聖西門的若干不近人情的做法，遂轉入新聞界。

他對自己的熱愛，也是促使他向歷史的軍械庫中去尋求武器的重大因素。他所著《農夫的信史》（*Histoire véritable de Jacques Bonhomme*）一書說明了他的法國歷史哲學。他說：「自從與侵略軍隊以俱來的奴役（servitude）在法國生根之後，它似乎就注定了成為法國史中不可分割的一部分了。它在這一種形式之下消失了，卻又在另一形式之下出現。羅馬人入侵之後又有法蘭克人的征服，接著又是專制王朝、拿破崙帝國，而現在則又處在特別法律的統治之下，難道這個美麗的國家就注定要遭遇著這樣的命運嗎？」這樣的話未免說得過火，而他的新聞事業至此亦告終結了。他對行動的世界有透闢的觀察，後因受聖西門之感召，故對人民群眾有著深摯的同情。

一九二〇年他才開始對法國史的材料做系統的研究。舊史家雖亦收集材料，但卻不瞭解它，亦未能撰寫成史書。新史之著作則必有待於博學、生活知識豐富，及富於想像力之新史家。迭利關於諾曼人征服（Norman Conquest）之名著，便是在此種精神之下寫成的。除了沙陀布朗而外，斯高脫（Walter Scott）對他的影響也極深。他又從休謨（David Hume）那兒獲知英國制度中所包含的貴族成分遠較自由為甚。據他研究的結果，從現存的國家制度我們可以推知，愈往古代種族的歧異也愈深。在有些國家中，階級便是種族的代表，征服的種族也就是特權階級。他的全書是在一種敘述故事的形式下發揮著歷史的理論。他復從斯高脫處瞭解到如何運用想像力而使過去的景象復活於腦海之中。因此，他認為中古史之所以晦暗不明，便是因為我們不懂得怎樣去解釋它的史料。在該書某一章的結尾上，他這樣著重地寫道：「這些人都已死去七百餘年了。但那有什麼呢？有想像在，便無所謂過去。」

他對英國史的研究有許多偏見的地方。他自己也坦率地承認：「我對於被征服者是有所偏袒的。」他確是同情大眾的；故有人稱他為最民主、最社會主義化的歷史家。他是一位浪漫主義派的產兒，因此他的想像遠較批判為強烈。

他具有堅強的毅力，後來雖雙目失明，研究工作卻始終未曾中止。而且其成就在某些方面尚較以前的著作為佳。

最後數年中，他又受了政治的歷史學派的影響。一八三六年他被聘編輯關於法國各郡（Commune）興起之文件。他那冗長的導論，後曾印成專冊，可以說是他的最成熟的作品。他指出法蘭克人的征服到了第十世紀已告消失；他追溯了法國中產階級之逐漸興起，以及地方自治制度的重建；又從階級會議（States General）敘至專制主義的勝利。但該導論亦有若干錯誤，盧雪（Luchaire）指責他亂用自由、平等之類的新名詞，並說他所描寫的城市民主程度，頗嫌渲染過分。吉利（Giry）則批評他的基爾特制度與城市關係的理論有不當之處。該書的主題闡明了貴族之沒落及其他各階層之上昇；其中的主要成就則在於他給予人民群眾在歷史上以應有的地位。

迭利的弟弟阿美底·迭利（Amédée Thierry）亦為一著名的史學家；但其名聲則為其兄所掩。他的《羅馬征服前的高盧人史》（*History of the Gauls before the Roman Conquest*）一書，企圖在許多雜亂的史料中尋求到一根歷史的線索。靠著語言學的幫助，他追溯了高盧人在義大利、西班牙、希臘、小亞細亞，以及敘利亞等地的流浪與定居的事蹟。他認為高盧人具有勇敢與慷慨的特質，但缺乏團結的精神。該書曾獲得讀者熱烈的歡迎；繼之，他又寫了《羅馬治下的高盧》（*Gaul under the Roman Administration*）。他辯稱，羅馬人未到高盧以前，那兒還是野蠻的，高盧的文明實為羅馬人之賜。其後，阿美底又致力於羅馬帝國後期歷史之研究。雖然他的著作既不深奧、又不銳利，但其啟發人們對歷史研究之興趣則誠有足多者。

巴朗（Prosper de Barante）也是一位浪漫派的史學家。與迭利一樣，他亦受了斯高脫很深的影響。他最早的歷史著作是一八二四年出版的《伯干底公爵史》（*Histoire des ducs de Bourgogne de la maison de Valois*）兩卷。該書結構緊湊而描繪生動，全書貫穿著藝術與戲劇的統一性。其次，他所根據的史料也極其豐富，他的史觀是將歷史客觀地敘出來而不加任何判斷與評論，讓讀者去自作結論。此一史觀曾引出不少的批評。他的朋友基佐，於慶賀他的成功之後，便謂他的歷史方法實際上則使人無從比較。他在答覆另一友人聖歐賴（Saint-Aulaire）時說道：「我無意設置什麼絕對的規律。此一方法或不能適用於別的時代與別的課題；但我們卻絕不能把互相排斥的事物混在一起。哲學的目的實不能與敘事的興味，以及事實的戲劇性的描繪相結合。我是要人們親自看見，而不是要他們聽取別人所描繪的十五世紀的真象。」

顯然，他的歷史著作在今日看來已顯得沒有生氣；現代的史學家的任務已不祇是編年史的逐一解釋了。

乙、彌其勒之史學

彌其勒（Jules Michelet）的史學雖然顯露著很濃厚的個性，但仍可歸之於迭利的浪漫學派中。他的母親早逝，幼時生活極不正常，未享受過普通兒童的樂趣。他對歷史學所以感到興趣，乃是受了李諾亞所創建的國立博物館的影響。他自己描寫當時的情形說：「我就是從這兒，而不是其他地方，體驗到歷史的生動的實現。我記得我幼時每當經過那莊嚴的拱門之下，注視著那些灰色的面孔時，總是有一種情緒在激盪著我的心弦。」

最初，庫生氏建議他讀德文，以便翻譯十八世紀義大利哲學家魏柯（Vico）的著作。在魏柯那裡，他找到了科學與信仰的調和。他注重群眾對文明的貢獻，相信人民的社會狀況反映在法律與詩歌之中，並運用語源學為探索人類起源的關鍵；這些都曾獲得良好的反應。而他研究魏柯的成就，亦正如杜芒（Dumont）之研究邊沁（Bentham）一樣。一八二七年是他的魏柯譯本問世之年；同時，他被聘在師範學校（Ecole Normale）教授史學與哲學，並出版了第一部歷史著作。他的《近代史綱要》（*Précis de l'histoire moderne*）一書，盡棄一般所通用的紀年表及撮要的方式，而對自十五世紀至法國大革命的文明發展作一鳥瞰，其間重大事蹟以及領導人物遂皆活躍紙上。該書之所以使人讀後有新鮮之感，主要是因為他所根據的都是原始史料的緣故。次年，他遊學德國，而將德國的哲學與學術帶回法國。他曾這樣敘述他對德國的感激：「對於意志堅強的人，德國實是生命的食糧。路德、貝多芬、康德、赫德和格倫諸人使得我偉大起來。」

在德國，他瞭解到尼布爾（Barthold Georg Niebuhr）在世界史學界聲譽之高；他並因此對羅馬歷史感到興趣。一八三〇年他為了羅馬史之著述而訪問義大利；次年，遂出版其羅馬共和國史數卷。他這一部歷史著作不太重視種族的因素；而以國家為該地道德形象的代表。該書的敘述終於凱撒之死，是近代第一部完整的羅馬共和國的歷史。惟他對書中所根據的史料並沒有批判的分析。此外，尚有一點值得特別指出，那就是他這部著作所涉及的知識範疇非常廣泛，其中包含著地形學、語言學、法學、文學等等。

他在一八三一年所發表的《世界史概論》（*Introduction à l'histoire universelle*）一書則是他的最輝煌的著作之一。該書將幾個主要國家所處的地位描繪得非常清楚。他有一套鬥爭史觀非常有趣，他說：「混沌初開便有了戰鬥，這一戰鬥也祇有等到世界末日才會休止；其中包含著人與自然的戰鬥，精神與物質的戰鬥，以及自由與定命的戰鬥。歷史不過是此種永無止境的鬥爭的記錄而已。」他認為從文明的歷程上看，自然的權威，每一階段都在減退著。印度仍受著自然的支配，猶如嬰兒之在母親的懷抱。波斯所介紹的光明原理也終有一日要與黑暗原理相混同。埃及則承認靈魂的不朽。希臘與羅馬發展了藝術與科學；但他們卻因未能建基於自由之上而歸於失敗。近代歐洲則是一個有機體，其中任何一部分都不能與其他部分分開。德國乃是一遁世、同情與神秘之地。義大利則是個體的與獨立的，羅馬的繼承者，政治與法律的園地。英國是驕傲的、英雄氣概的和高貴的，是第一個為自由而鬥爭的近代國家，但它卻又忽視了平等。另一方面呢？法國則是建設性的、自由的和民主的。一八三〇年的革命是法國歷史的總結，它獲得了本身的自由，並展開了一個民主的時代。正如揆奈（Edgar Quinet）所說，他的中心思想是：「歷史乃是自由之劇，是人類對於拘束著他們的世界的抗爭；它是精神的自由，也是靈魂的統治。」他這種說法實屬專斷而不科學。該書始於印度，竟遺漏了更古老，而且又開明與理智的中國；這實在是嚴重的錯誤。他曾追溯了自由的進程，不過並未能證明歷史即自由之體現。

《世界史概論》一書將法國歌頌為自由的主角。接著，彌其勒復致力於法國史的研究。經過他那富有創造力的渲染，法國已經人格化了。最初六卷《法國史》（*Histoire de France*）乃是他的最完美而不朽的傑作，此書的寫作正當他的天才的光芒發展到頂點的時候，他的想像力此時依然是完整的。他的目標在使「全部過去的生命復活」，包括土地、人民、事件、制度與信仰等。該書所根據的史料雖係原始的，但他仍參考了不少當代史學家的著作，如西斯蒙提、迭利兄弟、基佐等。彌其勒是第一個瞭解到地理因素在法國史上的重要性的歷史家。他認為政治的區分是以地理的區分為依據的；故每一省都有其特殊之作用，猶如每一器官在人體中都有其一定的效用。他並研究各省的地形、氣候、人民、性質，及其對國家生命的貢獻等；該書認為法國史包含著許多複雜的因素；在所有法國史的著作中，它可以說是最少從朝代變遷著眼，而又最能表現為真實的國別史的一部。

他的敘述與其說是許多事實的記錄，毋寧說是一連串景象的描寫。其中尤以對「聖女貞德」（Joan of Arc）的摹繪最為著名，那不僅是他個人成就的極峰，而且也是法國文學史中不朽的光輝。此外，他對中古時代及其藝術之描寫也極為生動而深刻。該書的一切評判都是非常公平的。他不甚注重帝王，但也並不仇視他們。他對教會則有著顯著的同情。該書的若干部分似乎是對沙陀布朗所著《基督教的精神》一書的反應。在全書的撰述中，他始終能把握住法國史的整體動態。他認為法國的精神是由許多複雜的影響造成的。他鄙棄種族、外在征服的影響，以及偉人的天定作用等等歷史理論。在他看來，「有機的生命是無法解釋的，因為它是一種神秘」。

彌其勒的最偉大的貢獻乃在於他的同情的想像。從來沒有一個歷史家曾經有過像他那樣對法國的熱愛。他自己便很明白地說過：「如果我是比其他歷史家較高一籌的話，那便是因為我有更多的愛的緣故。」他的表達力也和他的想像力相等，他所看見的，他便能使別人也看得見。一粒沙子，通過他的顯微鏡，便成了奇異的景象了。因此，人們把他看作歷史學中的雨果（Victor Hugo）。不過在他這些特殊的天賦中，卻缺少了一些歷史家所應有的性質。他的心太充實了，他的情緒太強烈了；因此他的看法便不精密，而我們也無法信任他的嚮導。他的象徵主義（Symbolism）雖然能使讀者具體地瞭解過去，但此種象徵卻往往淹沒了歷史的真象。這也難怪，那時依然在浪漫主義的運動中，世界還是屬於色彩、情感、詩意和誇張的。

當時的人們是以一種交雜的情緒來接受此一著作的。它的新穎、有力、淵博與優美是人人都承認的；但是它的神秘主義卻使懷疑的自由主義者為之震驚。古典主義的批判大師倪薩（Désiré Nisard）在半個世紀後即曾指出該書缺乏秩序與方法，並指責其因文害義之處。聖貝夫後來在褪脫了他的浪漫主義外衣之後，也表示和彌氏的史觀有著太遠的距離。該書寫成後，彌氏曾寫了一份副本給西斯蒙提氏，西氏的回信表示了很大的驚異與敬佩，他說：「在你的每一頁上，凡是我自己所研究過很久的問題，我都獲得了新的發現；不過我卻不能接受那抹殺了個人人格的人民人格之說。你的解釋是很新穎的，至於它能不能改變我，那完全是另一問題。」在天主教的圈子裡，它所得到的則是熱烈的頌揚。沙陀布朗說他常常感到法國史需要改寫，而這一工作已由彌其勒完成了。蒙塔倫伯（Charles Forbes René de Montalembert）則震驚於他的淵博，尤稱讚他處理天主教甚為公允。佛亞塞（Théophile Foisset）說得更妙：「我喜歡他，因為他的著作完全不像西斯蒙提那樣的枯燥的編纂。該書的唯一缺點便是他不是一個完全的、親密的和真實的基督教徒。」

彌氏為了要研究法國大革命，遂未能繼續撰寫近代史。在《法國革命史》（*Histoire de la Révolution française*）一書中，他夢想著一個新生的法國，在新的法國中王朝與教會束縛解除了，國家建立在公平的原則之上，而貧賤的人也得享有他們應得的權利。在這一部書中，彌氏所表現的精神與目的都與前一著作大相逕庭。它不再僅僅是使過去復活，而含有甚多的預言成分。他從來不曾在任何其他著作中貫注著這許多自己的精神。他說：「革命即存在於我們，以及我們的靈魂之中。在原則上，它是法律的勝利、公道的復活，以及反暴力的思想反應。它始於愛萬物。在仁愛的時期，它的主角是全體人民；而在殘暴的時期中，它的主角卻祇是少數個人。」法國人民，自聖女貞德以後，又受了幾個世紀的壓迫，終於他們又站起來了，重新組織社會，為全世界建立了新的榜樣。該書一開頭便討論公道（justice）的問題。伏爾泰曾答覆過這樣的問題：宗教可以離開公道與人性嗎？盧梭也曾在這一堅固的基礎上建立起社會正義的學說。彌氏的看法，一七八九年法國的自由意識醒覺了，一七九〇年她的統一意識開始抬頭。一切階級、黨派與國家之間的人為障礙都消失了，法國人民的精神在其淨潔無瑕的光芒中顯露出來。她以自由天使的姿態出現於人間。對於以下這幾位革命的領袖，彌氏亦有所批評：他認為彌拉波（Mirabeau）信仰王朝是一種錯誤；馬拉（Marat）是一味地效顰盧梭；羅伯斯庇（Robespierre）則祇是無聊的腐儒而已。法國終於從恐怖的統治下解救出來，但革命的成功卻亦因此延遲了半個世紀。九月屠殺（September Massacres）則是國家榮譽上無法消除的汙點。皇后勾通敵國，罪有應得；國王言而無信，亦死不足惜。而拉汶底（La Vendée）的農民叛亂，在他看來，卻是難以置信的負義呢！

除了卡萊爾（Thomas Carlyle）的著作以外，彌氏的《法國革命史》實要算對此一偉大事蹟的最光輝的描寫。歐拉認為該書雖不能說是最正確的，但確是最真實的法國革命史。從頭到尾，書中祇有一位主角——法國人民。彌氏喜愛但頓（Danton），因為他認但頓乃是法國人民靈魂的化身。不過他對革命的評判殊難使人接受：人民猶如上帝一般，一切善的都歸於人民，一切惡的則都歸於別人。如果說他對人民群眾太寬厚，那麼他對教會就太苛刻了。他把革命看作是兩種生活概念——理性主義的民主與基督教的王朝——的鬥爭，惟該書之敘述，詳略之間殊有未當；而且亦有甚多的錯誤，誇張與渲染均嫌太過；可以說是一首歌頌民主理想的史詩。

該書研究終結後，正是路易·拿破崙當政的時候。那時教會重新掌權，而民主也已黯然失色。他的教授及掌理檔案的職位也因為他拒絕宣誓效忠而再度失去（第一次係因在復辟時代反對基督教而失去的）。在此種情景之下，他的著述遂遠不及過去之謹嚴與精湛。他往往將個別的事件普遍化，偏見愈來愈深，有時更把某些無關緊要的小因素看成許多重大事件的原因。自此以後，他的著作竟一落千丈。許多過去愛戴他的人都不禁為之慨嘆不已。

此外，他還著有《人類的聖經》（*Biblia de la humanidad*）一書，書中顯示出神秘的與浪漫主義的元素在更新的理想主義之下，所存在的限度。該書觸及了每一種文明；印度、波斯、埃及、猶太、希臘、羅馬、基督教都是理性與正義的顯示的階級。其文字仍具有奇異的感召力，但批判力已消失了。一八七〇年的巴黎公社的戰爭對他的刺激太大，故其後所寫的關於拿破崙的三部著作便顯露出不可救藥的退步。誠然，他的天才與方法均嫌個性太重，似不足開創一個學派；但他的著作與講演對史學界的影響則極深。到現在止，尚沒有任何一位歷史家對法國歷史真實性的揭露，有過他那樣多的努力；也沒有誰對法國的愛戴有他那樣的熱誠；他的法國歷史哲學可以說是：「愛之所及，恕亦存焉！」

迎擊中共的文化反攻！

近年來中共在海外的文化戰線上可以說遭到了空前未有的慘敗，從海外僑胞爭讀中共的書籍、雜誌、報章到人們鄙棄尾巴讀物，其間不過是短短的三、四年間之事。記得當中共席捲大陸之初，香港僑胞幾乎沒有人敢公開地拿一張反共的報紙，然而時至今日情勢卻完全變了，我們已很難在輪渡或巴士上找到看尾巴報的搭客了。人心向背殆已顯然！造成這一轉變的原因何在呢？最根本的當然是中共在大陸上的種種反民主的暴行激起了有良知的僑胞們的憤怒，不過換一個角度看，我們也不能不承認，這幾年間鼓吹民主自由書刊之紛紛出版確也曾在質與量兩方面給予中共的海外文化勢力以嚴重的打擊。這是我們所差堪自慰的地方！

但最近我們觀察中共在香港的文化動態，似乎很容易看出他們有發動文化反攻的趨勢。如某尾巴報之連載俞平伯、張恨水的文字便是明證。筆者曾聞某些朋友說，俞、張作品南下尚不過是一個開端，緊接著仍將有巴金之小說、田漢之戲劇等等繼續到來，如果這種推測是確實的，則中共文化反攻勢成定案。我們知道極權主義的中共的一切行動都是嚴密計劃的結果，而海外的尾巴報紙也莫不唯中共文化當局的命令是聽，因之僅根據常理判斷，我們也無法相信俞、張之流的作品南下祇是出於偶然。再就作品本身說，我們更有充分的理由肯定這一點。中共是絕對禁止文化自由的，作者一字一句都須以馬列主義、毛澤東思想為準繩，可是現在俞、張的作品卻很少是有這種色彩，俞平伯的《讀紅樓夢隨筆》和張恨水的《梁山伯與祝英台》都是消閒性的東西，似乎不像是為灌輸教條而寫的。這類作品在國內是絕對看不到的，而且香港尾巴報紙本身也在被禁止輸入大陸之列！那麼這些東西不很顯然是為著海外僑胞而寫的嗎？

我們既肯定了中共在海外發動文化反攻的事實，我們就不能不重新反省一下，他們為什麼要這樣做？這種反攻的後果又將怎樣？我們又應當如何應敵？從一般歷史背景說起，這幾年來中共在海外的文化戰線上吃了敗仗，而民主自由勢力這一方面則多少已取得了優勢。但是我們果真能說，這種優勢的獲致完全是我們自己的主觀努力的結果嗎？我想誰也不敢作肯定的答案。人心轉變祇是一種事實的基礎，沒有討論的價值。值得我們考慮的乃是其間所存在的人的主觀因素。我們如果不能承認中共在海外文化戰線上的失敗是我們片面造成的，更進一步我們就得分析中共自身在這次失敗中有沒有應得之咎。首先我們可以說的就是中共本身確有其致敗之道。這便是他們在海外文化戰線上的總退卻。我們總該記得，當中共尚未占領北平以前，許多左傾的高級知識分子以及所謂「民主人士」之流幾乎大部分都集中在香港。當時的情形和今天的狀態恰恰處在一種極端相反的地位，形成了最鮮明的對比。那時香港文化界上左傾分子是占著壓倒的優勢的。可是隨著中共在國內軍事上的逐步勝利，這些文化界的尾巴們一批批地撤退到北平去了，而中共在海外主持文化戰鬥第一流人員也都先後奉命回國，剩下來的差不多祇是一些不學無術的四流以下的貨色。這一文化退卻，對於中共說，亦是必要的。為什麼呢？第一，中共並無真正的文化，更不尊重知識分子，學術文化祇是他們奪取政權的工具之一種，與槍砲子彈毫無殊異。他們在海外的工具作用既已消失，自然不須再將文化主力集中香港。第二，他們剛剛在軍事上征服了大陸，為了配合軍事政治的勝利，在文化思想上自不能不有以繼之。這便是他們所謂的「思想改造」與「學習」的運動。而對著全中國千千萬萬的知識分子，他們的文化主力非從海外撤送不可。第三，當時正是中國歷史最黑暗的日子，國民黨舊政權之腐敗與無希望已成定論，而曾經一度代表著中國民主自由的新勢力的若干領導分子則已向中共投降。無數海外僑胞一時也不免誤認中共是中國新生的力量。在這種情勢下，海外國民黨的官報已不值得中共攻擊，何況還有不少騎牆派的報紙因懾於威勢而自為中共搖旗吶喊呢！因之，即使沒有其他原因，中共也犯不著把香港當作文化戰鬥的第一線了。

基於以上種種理由，才有中共在海外文化戰場上的總退卻。而我們民主的反共文化勢力因此才獲得了勝利的機會。這一客觀的歷史事實是我們所不能也不應抹殺的！作者的意思自然不是要否定我們自已的主觀努力。顯然，如果沒有一批有膽量、有見地的民主鬥士們敢於在中共軍事勝利的狂潮前，不惜以螳臂擋車的精神挺身而出，為民主中國而大聲疾呼，則今天的勝利也是不可想像的。不過作者要著重地指出，倘使沒有中共本身的文化總退卻，則我們的勝利絕不會有今天這樣的輕易、這樣的輝煌，以至使中共當局感到相當的威脅，因而開始向我們反攻的。

現在敵人的反攻已經發動，先遣部隊已和我們短兵相接。為了擊敗這一猛烈的攻勢，我們不能不對敵我雙方的真實狀況加以檢討。「知己知彼，百戰百勝」，這不僅是武力鬥角的名言，同時也是文化戰爭的至理。讓我們先反躬自省，我們說我們這幾年來在文化戰爭中獲得了勝利，我們究竟有些什麼具體的戰果呢？首先必須指出的便是我們已經出版了數百種書籍、數十種定期雜誌，以及好幾家報紙。（當然有的是舊報，不過已積極地參加反共鬥爭了）從量上說，這的確是很可驚的成績。從質上說，我們對中國問題的認識，對民主自由的本質的瞭解，以及對中共的理論與實際的批判，也都大大地超越了過去，非「五四」時代的人們所可比擬的了。這是從好的一方面說的。但是若從壞的一方面看，我們是否已完美無疵了呢？是否已經形成了一個堅固的文化力量而足以抵抗任何敵人的攻擊了呢？我們實在不能不嚴肅而沉痛地指出：我們還差得很遠。我們的力量依然是薄弱的，我們所恃以反共的思想體系依然未脫草創階段，尤其重要的是我們依然缺乏一批具有新思想、新作風，並足以「上承千古，下開百代」的知識分子！這些為任何革命事業所必須具備的起碼條件我們都未能培養起來，這還不夠慚愧的嗎？我們知道任何一個革命運動都是從文化革命開始的，而文化革命的成敗則是社會全面革命的成敗關鍵之所繫。因此，如果今天在文化上不能卓然有以自立，中國民主的前途將無疑是十分黯淡的。不要自欺欺人，敞開胸膛做深刻的反省，我們距離「自立」的階段顯然還有一段漫長的途程。儘管我們出版的書刊已經如此之多，但若用更高的標準來衡量的話，那麼誰也得承認，這許許多多作品之中真正有較大的價值，而可以在相當時間內站得住的實在太少了，少到不敢用百分比加以說明的程度。以理論性學術性作品言，則很少有幾部書根據了五本以上的參考書，很少有幾篇文章是作者精讀了一兩部經典著作的結果；以對中共的報導與批判言，則難得有幾部書根據了兩年以上的報紙，難得有幾位作者讀通了共產黨的理論；以文藝創作言，則不見得有幾部小說曾經作者事前縝密設計過，或寫成後再反覆修改過，不見得有幾位作家曾讀過十部以上的西洋文學名著，或對中國古典文學有深厚的修養；至於一般等而下之的雜文那就更不必說了。寫作態度之不忠誠，文字之被濫用，文人品格之低落也同樣到了極可怕的程度。出版物雖至汗牛充棟，卻多無當覆瓿。從壞的一方面看，這又該是一幅多麼令人傷心的景象！我們深知，這樣無情的暴露也許會傷害不少人的尊嚴，引起不少人的反感，認為我們在自己拆自己的臺。不要緊的，我們民主主義者是不怕任何攻擊的。我們應該有這樣的氣魄、這樣的風格，敢於坦白地認錯、深切地反省。非如此我們便毫無希望去展開新的生命，創造新的時代！我們的病症誠然是嚴重的，但卻不是不可救藥的。在強大敵人的猛烈反攻之前，我們不能不自責較嚴、自期較大；自責與自期則正是自愛自尊，不是自暴自棄。這是我們必須獲得民主自由鬥士們諒解的最根本的一點。

讓我們再看看敵情可是如何。如果中共依然繼續其馬列教條的宣傳，那麼無論他們怎樣加強，我們都不必畏懼，因為這已不足以引起海外僑胞注意的興趣。可是狡黠的中共卻不是這樣，他們知道僑胞喜歡小品隨筆，於是他們命俞平伯寫紅學；他們知道僑胞喜歡鴛鴦蝴蝶派的小說，於是他們命張恨水寫梁山伯與祝英台。總之，海外讀者們要什麼，他們就給什麼；而且他們比我們有著更有利的客觀條件！他們俘虜了一批已經成名的作家，可以起號召群眾的作用；他們有大量的民脂民膏可供揮霍；他們有集體的力量在作文化攻勢的後盾……。在這樣情勢之下，勝敗的關鍵決於雙方作品的質，而不是量：誰的作品的質較高，誰獲得最後勝利機會也就較多。現在中共在形式上既已放棄了「解放八股」，而採取了新的文化戰略與戰術；如果我們依然不能跳出「反共八股」的窠臼，則我們的失敗將是不可避免的！不過話說回頭，我們絲毫不必害怕，中共的文化反攻雖然來勢洶洶，卻亦有其不可克服的自我限制；這就是他們的作家終不能寫成完全自由的作品，究竟還得拖著一條極權主義的尾巴。例如俞平伯談《紅樓夢》考證，而《紅樓夢》考證卻無法不提到胡適之；可是胡先生是中共的最大敵人之一，俞平伯自然不敢提他的名字，於是俞平伯在必須引徵胡氏的考據時便祇有隱去胡氏之名，而代之以「亞東版的《紅樓夢》序言者」。祇此一點就把中共的獰猙面目完全暴露出來了。這種自我限制使得中共文化反攻的火力大為減弱；因為他們的彈藥儘管厲害，他們的槍砲卻已破爛不堪，爆炸力太大的彈藥難免會炸死自己的！

客觀地比較了敵我的情勢，便可以知道，我們自己雖有缺點，此缺點卻不難補救；敵人雖有其優勢，其優勢卻終不可恃。而決定彼此勝敗的最根本力量最後還是主觀努力。但敵人努力是有限度的，而我們的努力則永無止境。因之，衹要我們肯毅然揚棄舊缺點，重新努力，把作品的質向前推進一步，那麼，我們便可以有絕對的把握粉碎敵人這一次的文化反攻！

但是勝利的希望儘管很大，勝利的事實還得我們努力去爭取。如果我們根本不理會這回事，或不以極嚴肅的心情來迎戰，則我們失敗的可能性也將是很大的。也許有人會覺得，文化思想的戰爭無所謂勝敗；勝固無所獲，敗亦無所失。我們何必庸人自擾呢？是的，如果我們用有形的物質得失來衡量思想戰爭的話，這次文化鬥爭也許是毫無意義的。但事實上問題會不會這樣簡單呢？當然不會。反之，試作深一層的推想，如果我們不能擊敗中共的文化反攻，反而被中共打垮了。那又將有怎樣一種後果呢？我想最低限度反共的民主自由勢力的成長要遭受極大的打擊。前面說過，一切革命運動都是以文化革命為前導的；文化革命失敗了，革命勢力就失去了信仰的支持。沒有真信仰為後盾的勢力是絕無可能號召群眾的。這樣，在海外僑胞的面前，在全中國人民的面前，我們便表現出自己祇是一些無能的政治騙子，而不是足以承先啟後的新文化使命的負荷者。一個革命的力量遭到舊勢力的壓迫而無法實現其政治理想並不是恥辱，甚至被反動勢力所消滅也還不是恥辱。但一個自命為新興的革命力量在思想上、學術上被舊勢力摧毀，卻是無可挽救的最大的恥辱。歷史上曾有不少革命是失敗了的，可是由於它在文化思想上沒有失敗，它的光輝依然能照耀後世，並為後人所崇敬。因之，從深遠處著想，中共文化反攻對於我們不僅是一個嚴重的能力上的考驗，同時也是一個決定存亡絕續的重要戰役。

我個人始終深信，憑著我們已往的成績表現，憑著我們在新理念啟示下的無限智慧，祇要我們肯虛心地承認過去成就之不足，「百尺竿頭，再進一步」，把我們作品的質向前推一步，向上提高一層，我們一定能夠很容易地擊敗敵人的反攻，並使整個民主自由運動獲得前所未有的新開展！

我們眼前的文化工作

在本刊[1]一九一期我所寫的〈迎擊中共的文化反攻！〉曾明白地指出，中共大有奪回我們在海外所開拓的精神空間的企圖。因之，我們自由文化工作者應該特別提高警覺，迎擊敵人。尤其重要的是盡力提高作品的質。但這祇是一種一般性的說法，究竟我們應如何迎擊中共，迎擊中共的步驟又當如何！關於這些，我準備在本文中從正面來加以申論。

1 編按：即《自由陣線》。

先從文化運動的一般原則說起。從歷史上若干文化運動的事例觀察，文化運動必然是由感性階段開始，而終於理性階段。換句話說，必先有文學、藝術面的文化運動，然後才能產生學術、思想的文化運動。如果沒有十四到十六世紀的文藝復興，很難想像會有近代歐洲的新思潮的興起；同樣，「五四」運動如果不是從文學革命開端，中國這幾十年來的種種新文化的發展也許不會這樣容易，凡此都足以助證文化運動係由感性到理性的說法。但是文化運動之具有此兩個不同的階段，並非說前者決定後者；時間的先後關係絕不涵攝著決定的意義。而且感性與理性在發展程序上雖有不同，卻也不是絕對性的。那就是說，在感性階段上，理性固然還有其表現；而到了理性階段，感性的力量也不會完全消失。這兩大階段的劃分主要是根據二者的比重輕重不同而產生的。在感性階段，詩歌、小說、戲劇、散文、音樂、雕刻……等文學、藝術固然特別發達，同時也特別為一般嚮往新社會到來的人們所愛好，可是新的思想、新的社會理論、新的學術，以至新的思想方法等等理性的花朵也一樣有了初步表現，至少也已在萌芽、滋長的階段。及至感性階段結束了，新的思想開始為人們所普遍接受，文學、藝術等等作品當然不會就此中斷；反之，它們依舊在不斷地創造過程中，不過在比重上已退居次要地位而已。歐洲文藝復興時代，達文西、米開蘭基羅、拉斐爾諸人的繪畫固然最為後人所熟悉，而當時語言學、歷史學、神學，以及各種自然科學等等理性的產品也極其豐富，並為後世之學術思想開闢了發展的路向。「五四」時代的新文學作品固然最能吸引一般人的興趣，但中國傳統思想的批判與西方文化的傳播在當時亦同樣奠定了基礎，而文學革命的浪潮過去之後，新的文藝作品也仍在不斷地湧現。這些史實頗能幫助我們瞭解感性與理性兩大文化運動的階段的正確關係。

根據這種認識，返觀今天海外的新勢力運動，我們深感這一運動實在祇能算是一個開始。既然仍處在新勢力運動的創始階段，那麼我們當然祇有在文化工作上多多努力了；而我們在文化運動上的努力重心此時則顯然尚未脫離感性階段。我們把自己所處的歷史地位做了嚴格的規定之後，才能真正地瞭解我們所能貢獻於時代、貢獻於國家者究竟是些什麼，並且也祇有如此，新勢力運動才能有步驟、有計劃地逐漸展開。

一方面，我們努力的重心還無法超越文化的範疇；而另一方面，由於客觀環境的限制，即使海內外人民的政治要求成熟了，我們也依然無法在實際上給予他們以滿足。這就是說，我們目前無論如何都祇有在文化運動上獻出一切力量。但我們目前的文化運動卻處在一個非常不利的環境裡；而這種不利的情況則又是我們的革命本質所必然規定著的：在我們的左面是強大的中共政權，它不僅壟斷了國內的文化活動，並且還盡一切可能在海外僑胞之間有計劃地散布種種謊言；在我們的右邊則是腐朽的國民黨，它已失去了與中共鬥爭的活力，但卻不惜用任何卑鄙的方法打擊新勢力運動。不僅此也，即使是在新勢力隊伍之內也依然潛伏著不少政治投機者、舊官僚、甚至左派或右派的破壞分子；他們表面上似乎極同情新勢力，實際上卻隨時隨地在為新勢力的破壞與分裂而努力。這樣看來，我們實在是處在多面作戰的情況之中。

這不是一個很容易應付的場面。那麼我們究應如何克服重重困難，使自己穩固地站立起來呢？首先，我們已認定現在是要在文化革命上多所努力，因之，我們便無興趣，也無必要去和這些攻擊者做文化範疇以外的鬥爭。其次，中國民主自由運動的主要的，同時也是最強大的敵人乃是中國共產黨及其極權政權；因之，我們的火力祇應、並且也必須向這一對象集中。此外，一般敵視我們而同時又反對中共的集團或分子，無論他們怎樣對待我們，我們還是要在不違背原則的前提下盡量和他們覓取協調以至團結。因為不摧毀中共及其政權，我們的理想永無實現的可能；而中共實力的強大又絕非目前我們新勢力中這些少數志士們所足以單獨抗衡的。我們必須與一切反共力量聯合起來！

於此，可以更進一步確定我們目前工作的性質了。我們既是處在文化運動的感性階段，那麼這一階段的具體工作是些什麼呢？這就和我在〈迎擊中共的文化反攻！〉一文中所討論的種種問題連在一起了。本來根據客觀歷史，感性階段的文化運動乃是以文學、藝術為主，而以理論、思想為輔；因此，目前我們所最需要發展的還是在文藝方面。為什麼呢？我們不妨順便對感性與理性的區別加以解釋，通常人的本性是易為情所感動，而難被理所折服。基督教要人信仰它一定要利用人的情感，必須在激起了情感之後才把教義搬出來。而平常牧師在傳布教義時也還是夾雜著濃厚的情感，其原因實即在此。又如極權主義之所以吸引青年，主要也不是靠它的理論，而是靠它所激起狂熱情緒。因此中共不僅在過去數十年間特別注重文藝作品，同時他們的理論作品中也充滿著強烈情感的現實例證以激起青年的共鳴（如民族主義、貧窮、腐敗政治……等），及至青年的情感已被這些文藝作品所動，那就不怕他們不入彀中，為他們效命了。這是文化革命之所以要從感性方面入手的根本原因。而在文化範疇中最能感動人的則莫過於文學以及音樂、戲劇、舞蹈、繪畫……等等藝術。因此，我們今天便非發展文藝不可。更有進者，復由於中共現在已從文藝方面向我們大舉反攻，我們即使出於被動，也不能不在這一方面給予他們以反擊！

但文藝所包括的內容極為豐富，一時無法做全面的發展。這樣，我們便不能不有一個縝密的計劃，並根據這種計劃去做有步驟、有重點的努力。

先說說文學方面，文學的本身同時包括了理論與實際兩個方面：理論方面便是新文學理論的建立和根據新理論而產生的文學批判。這是健全的文學必須具備的重要內容。「五四」以來我們所最缺乏的也是在理論方面。新文學運動的提倡者雖也有建設新理論的心願，但認識卻嫌不深：他們祇有時間觀念，而無空間觀念。那就是說，他們祇知道古文已過時，不合現代需要；因此拚命把西方文學向中國輸送（事實上西方文學的介紹還不徹底、不根本），他們卻忽略了文學的真實生命同時也建築在民族文化的生命之上。離開了特定的民族生活，文學便不復是文學，而近乎抽象的理論了。當然如果一個民族的文化需要改良，文學自然也得跟著進步；但民族文化及其特殊文學之間卻不能沒有一個適當的配合。否則這種文學絕不能感動該民族中的人民，最多祇是外國文學罷了。我說這話也不是否認世界文學的共同性的那一面；可是這「同」必不能取消它們之間的「異」。

有了這種根據特殊的時間與空間而建立起來的有生命的文學理論，文學的創作才能不斷地改進。文學理論是創作的圭臬，它可以使我們知道某種作品是好的或是壞的？是完全的或是有缺陷的？是非善惡既明，文學的改進便真的有了根據。文學理論是中國一向所缺乏的；這也是中國文學不能有革命性的大進步的重要原因之一。今天我們必須要填補這一空隙。

然而文學理論並不等於創作。僅有理論而無作品，再完美的理論也祇是廢話。因為文學理論本身還是說理的、折人的，而非談情的、動人的。文學作品又可以粗淺地分成兩部分：一是不滿現實、暴露現實、批判現實的，另一則是嚮往未來、追求未來的。前者使文學家的觀察深刻，後者使文學家觸鬚敏銳。因此目前我們的文學作品必須同時兼顧此兩面。我們是生在一個「方生方死，方死方生」的大時代裡，我們必須認清這種「死」與「生」的特殊本質。這樣看來文學家的知識基礎便非極廣大不可了；一個文學家如果不懂得歷史文化的大潮流、大方向是極其危險的事：他們可能為歷史的逆流推波助瀾，為暴君統治而歌誦，為人類的毀滅而歡呼。這種事情在今天的中國不正是遍地都有嗎？

今天是思想戰爭最激烈的時代。文學家因此也不能躲避這一鬥爭，相反地，倒應積極地參加這場戰鬥。我們的敵人正是此中能手，他們早已培養了一批御用的「文學家」作為毒惡思想的傳布器。我們的新文學家必須經過嚴格的思想訓練才能擔得起一方面清除毒氣，一方面散播幸福種子的雙重任務。

其次談到藝術。藝術的原理和文學原理是相通的。美學不僅是文學的最高指導原則，同時也是藝術創造的根本依據。所以在理論上不必多說。今天藝術的重要性在於能補文學之不足。文學祇是平面的，因之其感人是間接的；藝術則是立體的，所以能直接打動人的心弦。荊軻悲歌而興刺秦王之勇氣，張良吹簫而散項羽之軍心，都是藝術力量的偉大表現。可是自從中共勝利以來，我們竟不曾產生一首慷慨激昂，足以激人愛國思鄉之情的歌曲，也不曾有過一部成功的劇本，至於演戲更不必說了。處在這樣偉大的時代裡而沒有偉大的藝術出現，還不是我們自己的絕大恥辱嗎？

這裡所說的文學、藝術兩項不過是我們今天無數要做的文化工作之一部分而已。此外如新社會理論的建立、中西文化的研究、民主制度的設計、科學的發展……等等何一不是我們今天所要努力以赴的重要目標？但是為了使新文化運動的步驟不錯亂起見，我們一時還不能全面照顧到。我們今天還祇能在文學、藝術上多多用功，等春風吹醒每一個人的心靈之後，情感的浪潮開始在胸頭激盪了，那麼新文化運動的理性階段才算到來。這裡我必須緊接著補充一句，我說現在還在感性階段，意思絕不是說思想理論的建設工作可以丟在一邊，事實上這工作比文藝創作還要重要，而且也不是一天一夜所能夠做得好的。對這一方面有興趣、有基礎的人毋寧更該加緊地用功；否則感性階段結束之後我們用什麼東西來繼承呢？我所考慮的乃是理性的花朵目前還不到盛開的季節，而欣賞它的人也還寥寥無幾而已！

新勢力運動眼前似乎進入了消沉階段，恨它的人都不免沾沾自喜，以為它已不存在了，我寫這篇短論的用心就是要使一切熱愛民主自由力量的人瞭解我們不但存在，而且還有著繁重的實際工作需要努力以赴。祇要我們能埋著頭，一步一步地做我們應做的事，我們是會一天比一天強大的。這是我們永遠動搖不了的信心！

鐵幕後歷史學的災難

竄改過去的歷史，捏造現代的歷史，已成為所有共產國家普遍的作風，中國大陸剛被共黨占領時，全國實施大規模的訓練，有不少受過訓而又逃出鐵幕的自由人士曾經告訴作者很多關於共黨講演人睜眼說瞎話的故事。他們由於不明瞭老牌共產國家的說謊的慣技，更由於不習慣顛倒黑白，對於共產黨人的捏造事實，都大感驚異，有的從驚異得到覺悟，更有的因覺悟而憤怒。曾記得共黨占領東北，有不少國軍將領被俘，並被送到哈爾濱受訓，共產黨人竟於上政治課時告訴他們，擊敗日本在國際上完全賴蘇聯的力量，在國內完全賴共軍的力量，國軍從不與日人打仗。當時聽講的國軍軍官，不僅是瞭解國內外情形而且有的是一再因對日作戰而受過傷的，有一次一位因屢次受傷身上猶帶瘡痕的姓楊的少校，實在聽不下去，曾不顧死活地起立對該演講人作憤怒的指責說：「你撒別的謊，我還可以容忍，若說國軍從未與日軍作戰，簡直是欺人之談，單就我所屬的單位說，也不知與日軍作過多少次戰，我身上的傷痕難道還不是明證嗎？難道你還能否認嗎？」這一頓指責使演講人面紅耳赤、啞口無言，可是那位楊少校也就從此失蹤了。

中國共產黨人因為不承認打敗日本是美國的功勞，當然也就不能承認美國在日本廣島與長崎曾投過原子彈，後來大陸淪陷後，有若干浙大學生，在杭州受訓，上政治課的人，曾一再告訴他們美國在日本投原子彈是根本沒有的事，這班青年人過去哪裡有過這種謊言的經驗，他們明明知道有這一回事，如何能相信這種謊言呢？因此受訓未完，開小差的已遠超過半數了。其實共產黨人撒謊並不足怪，因為共產黨人非靠撒謊，就不能自圓其說，整個中國歷史正在受他們竄改，如附會階級鬥爭的說法，過去一切政變都變成了農民革命，豈僅中國共黨如此，全世界共黨的作風都是出自一個模型，這些竄改與撒謊的技能都是由先進的蘇聯老大哥傳授來的，凡是受過他們傳授的都具有這類的技能。現在讓我們對於老大哥本身及其在東歐的衛星國如何竄改及捏造歷史的事實略加檢討，就可以知道中國的徒子徒孫在這一方面並無獨創之處。

就蘇聯說，這二十多年來它的歷史學的危機是一天比一天嚴重，它不僅不許可能有客觀歷史家的存在，由於獨裁者見解隨時改變，它也不可能有馬克思派或共黨觀點的歷史家。馬克思的觀點祇能以官方的解釋為標準，官方的解釋便是獨裁者的解釋，但獨裁者的觀點不是一貫的，今天是一種說法，明天又是一種說法，因此寫歷史的人既不能自由地引證馬克思的話證明某一觀點，又不能引證獨裁者的話支持某一理論。某一時期與某一事件的中心人物，可能忽然變成不許人提到的人物。例如托洛斯基在蘇俄內戰期中是一個重要的中心人物，現在蘇聯必須重寫內戰史了，寫史的人所必須遵照的指示就是要寫出一本就像沒有一個名叫托洛斯基的軍政部長的存在。一九五二年春，蘇聯竟開始整肅若干邦的博物院，例如對於立陶宛的博物院，蘇聯批評它沒有表現出偉大俄國文化的影響及立陶宛人民如何爭取及熱望結束本國的獨立。對於卡撒克（Kazakh）博物院的指責是它不應當陳列匕首、槍枝、全副武裝與結婚禮服等以引起該邦人民的鄉思，而沒有陳列任何物品足以顯出蘇聯偉大文化的影響。諸如此類事件，簡直不可勝述。

英國名史家麥考萊曾經說過他所想像的地獄乃是聽魔鬼無底止的錯引歷史事實而不能加以糾正。今日蘇聯的歷史家本身就是錯引歷史事實的人，他的個人見解與其所寫的歷史無關，除與當時的觀點偶合外，也無發表見解的機會，沙皇時代雖說專制，但自由思想的史家普列托諾夫（Platonov），保守思想及保王派的史家如伊洛威斯基（Ilovaysky），或馬克思派史家如波克洛夫斯基（Pokrovsky）仍然可以同時存在，但在今日的蘇聯全能的國家控制下，歷史一如其他文化部門，也全盤的國家化了，沒有個人的見解，沒有個人的批評，也不能有多元的觀點，凡不合乎國家觀點的歷史著作不是要毀掉就是要修改。研究拿破崙的專家塔勒（Tarle）曾奉命要改正他的著作說明莫斯科是拿破崙放火燒的，研究可怖的伊凡（Ivan the Terrible）專家維卜（Wipper）也奉令對於伊凡改指摘為頌揚。

烏特青（S. V. Utechin）曾於一九三九至一九四一年肄業於莫斯科大學，據他在《蘇聯研究》所發表的〈歷史的課本〉一文中稱，他確實知道不久故去的史學教授巴錫勒維芝（K. V. Bazilevich）與巴克魯什根（S. V. Bakhrushin）對於現存的共黨政權係持反對的態度，但在他們的書中竟看不出一點與史大林有意見不同的地方。因此著作者的個人政治見解與書中所發表的意見並不一定符合而且甚至可以背道而馳的。

不論歷史家如何審慎，他還是不能保證他不犯錯誤，因為他無法緊隨著那易變的獨裁者的觀點。波克洛夫斯基為二十世紀初俄國享盛名的馬克思派的歷史家，他所寫的《俄國簡史》列寧曾為他作序，譽揚備至，並堅持列為學校課本並譯成其他歐洲文字。李耶撒諾夫（Ryazanov）為蘇聯有名的研究馬克思專家，對於歷史的態度與波克洛夫斯基相似，但二人都於死後受到史大林的清算。一九四八年俄國的《歷史問題》雜誌還對歷史家提出警告說，正當的歷史家必須不受客觀主義與歷史事實的束縛。形勢與觀點都是隨時改變的，歷史家也要緊隨著這種政變的路線；引證馬克思、恩格斯或列寧的話都不能作為護符。甚至引述史大林昨日所說的話到了今天也難免犯了教條主義錯誤。歷史家即使緊隨路線也不免落伍，他必須能預知獨裁者的觀點才算是上乘的史家。

在上述這種情況下做一個歷史家該是多麼困難，獨裁者心境的變幻，一方面在時間上既是令人莫測，另一方面在範圍上又是包含甚廣。他說不定在什麼時候要變，可以是在今天，可以是明天，也可以是後日的午夜。他說不定在那一方面變，可以是關於國際關係，可以是關於私人方面，也可以是關於他的政權方面。總之，無論何種變都是牽一髮而動全身。所出的書籍、論文或檔案，祇要是與此種變化相違背的都需要全盤燒毀或全盤改正，祇許人知有新版，而不知尚有舊版。歷史的寫作在蘇聯不僅是困難而且極為危險，歷史家的出頭、匿跡、再出頭，或永無消息都是受這常變與多面變的影響。因此蘇聯政府雖一再勸告、懸賞及威脅以徵求一種完全的黨史及共產政權的歷史或論文，至今仍無人敢寫（官方的聯共黨史除外）。這種頑固的沉默大可以說明今日蘇聯的史學和史學界的情形。

列寧剛故去以後，史大林就想到要改造個人歷史與黨史。他於一九二四年一月列寧追悼會中演說時即蓄意將他本人與列寧的關係提早四年。後來蘇聯所發表的關於列史個人關係的敘述總是說他們的交誼日深與合作日切，卻無人提到列寧在逝世前有意要罷免史大林的書記長職務。原來在革命期間列寧、托洛斯基之名是並稱的，革命初期有無數的書籍、報紙、小冊子、命令與公文都是並列他們兩個人的名字，史大林卻不惜盡毀這一切印刷品而於新版中完全易以列寧、史大林並列之名。托洛斯基與布哈林（Bukharin）都是列寧的密友和得力的左右手，都以不為史大林所容之故，一則被逐海外並被消除在國內所有的痕跡，一則竟於新版大百科全書中被除名。他這一切措施無非是抬高他本身的地位，把他自己抬高到在十月革命中與列寧為並駕齊驅的人物。他既然以這種精神寫個人歷史，他當然也要用這種精神寫一般的歷史。

他在國際關係上遺下來的史料真令後代史家不知如何著筆寫第二次大戰前後蘇聯與其他西方國家間關係的一頁，他原來宣傳蘇聯完全為敵國所包圍，及至希特勒攻蘇，羅斯福與邱吉爾均籲請各該國人民予蘇聯以慷慨的支持。這使他的宣傳破產了，因為蘇聯人民從英、美的行動看出英、美的友誼。一九四一年十月革命紀念那一天，史大林發表講演也承認「蘇聯具有初步的民主自由……工聯……政黨……國會」。他當時呼籲人民保衛祖國與民主的自由，但不久他向選民演說又稱戰爭與資本主義是不可分的，蘇聯必須繼續準備在將來作戰。他恨不能在他轉變時希望他的人民也盡忘西方盟國的援助與英勇事蹟。一九四五年潘克拉托瓦（Pankratova）編的蘇聯歷史曾引用史大林對於諾曼底登陸的話，史氏稱該項動作為：「一種輝煌的成就……從目的的廣大，戰略的全備，與執行的成功，戰史中簡直找不出相同的事實。」這種讚揚出諸一個國家獨裁者之口，筆諸於政府審慎通過之歷史書籍，照常理言，這還可以否認嗎？

但是一年後，該書的新版又出世了，關於登陸的記載就與上述完全不同。祇是說「一九四四年六月六日同盟軍隊在法國北部完成登陸」。一個何等重大的事蹟，就這樣一筆輕鬆的帶過。這樣的竄改還是史大林的仁慈，這祇是過渡到另一次修改的步驟。最後經蘇聯政府審查通過的佘司特可夫（Shestkov）所寫的蘇聯歷史對於諾曼底登陸事件與一九四五年史大林口吻完全相反的了。佘司特可夫絕無發表意見的自由，他祇是史大林的傳聲筒。請看這位傳聲筒對於這一輝煌的成就如何說法：

在三年作戰期中，英、美用種種方法避免開闢第二戰線……但在蘇軍獲得的重大的勝利以後，形勢很明顯地告訴我們蘇軍也許要單獨擊敗敵人，占領德國的領土，並解放西部歐洲，包括法國在內……一九四四年六月英、美軍隊始自英國開拔在法國北部海岸登陸。

這樣一種想法顯然要蘇聯人民盡忘西方國家的援助，卻不追究蘇聯如何轉敗為勝。西歐牽制了德國五百萬大軍，美國的租借物資由伊朗湧入蘇聯，北非的占領與南歐的進攻，數以千計飛機的空襲德境，美國虎牌坦克在蘇境發揮的威力，這都是在諾曼底登陸以前西方國家對於戰爭的貢獻，這對於蘇聯的轉敗為勝應該有什麼意思，史大林當然比我們更明瞭。以當時戰爭的情形，德國若不受西方的牽制，蘇聯若得不到西方物資的援助，德國很可能在地圖上將蘇聯之名抹去。西方國家擊敗德國的意志早已決於羅、邱宣布《大西洋憲章》之時，他們的軍事計劃亦早經決定，法國北部登陸早已成為西方國家軍事計劃中步驟之一，登陸乃是依照計劃實行，如何能說是因為怕蘇聯單獨擊敗敵人才發動進攻呢？史大林在數年之間竟不惜自食其言而將一幕可歌可泣的事蹟說成一種陰險卑鄙的動作。這便是史大林的新史學。

俄國的歷史既然在獨裁者的指示下要全部改寫，其他蘇聯羽翼下的諸「人民共和國」的歷史自然也要重新寫過。這種工作係由蘇聯科學院的史學組負責的。保加利亞的歷史已經改寫過了，保國人民從這歷史中才得到一種新的觀點，認識了保國是一向受著俄國偉大文化的薰陶。非斯拉夫民族的阿爾巴尼亞也獲得了一部新的國史，它的人民瞭解了數世紀來阿國所以要從土耳其統治下獲得解放，為的是要爭取俄國人民的友誼並與俄國人民聯成一片。羅馬尼亞為了巴塞勒比亞（Bessarabia）問題原與俄國交惡已久，現在重寫的新羅馬尼亞史也將過去交惡的觀念改變了，並尊羅馬尼亞語言為作斯拉夫榮譽公民的條件。祇有南國的狄托是一個不可救藥的傢伙，因為他曾在一九四一年同時與希特勒及英、美帝國主義者服務。

捷克斯洛伐克的歷史有兩版已經編成又毀掉了，第三版於一九五一年寫成，到了次年又受到攻擊，勢非改寫不可。波蘭因為情形特殊，它的史家苦惱尤大。波蘭從文化方面講當然是受著羅馬或西方的影響，而波蘭的文化又曾影響俄國。但現在替波蘭寫歷史的史家卻不能平舖直敘地照著事實下筆，他必須在波蘭的歷史中揑造事實或從事牽強附會證明波蘭的文化絕對是來自偉大的俄國，因此必須將波蘭在文化方面影響俄國的痕跡完全塗去。蘇聯的《歷史問題》雜誌於論到蘇、波關係時曾稱「科學歷史的任務乃是忠實地敘述事實，並指出過去波蘭對於俄國的仇視，責在統治階級而不在人民」。蘇聯並說明波蘭三次被瓜分，祇有俄國分得的一份是合理的。

一般人讀了上面所述的事實，一定會發生兩種疑問，那便是共產黨何以要這樣捏造或竄改事實，蓄意撒謊及牽強附會呢？一個盡人皆知的事實，他們硬說成另一回事，難道真能欺騙人嗎？我們得到了這兩個問題的答案後，才能瞭解撒謊與牽強附會原是共產黨人應有的作風。

現在讓我先答覆第一個問題。共產黨人的宣傳技倆，盡可能堅持觀點，到了不能堅持時，就不惜捏造事實或牽強附會以圓其說。例如說，馬克思與恩格斯在《共產黨宣言》中標出一條真理，那就是「一切至今存在過的社會底歷史是階級鬥爭的歷史」。這一個觀點在共產黨人看來是馬、恩的一個大發現，是一個天經地義的教條，可以放諸四海而皆準，質諸古今而無誤。根據這一真理，歷史上或社會上做何一種鬥爭都應當解釋為階級鬥爭，如是不僅漢高祖推翻秦二世，朱洪武顛覆元代應當解釋為農民革命，即兩姓械鬥和兩國交兵都應解釋為階級鬥爭。這才真是削足適履，但不削足則此履即不能用，共產黨即失所憑依。

就對人與對事而言，共黨的策略適與其對理論相反。對人與對事，它是隨著時勢的變遷與政策的不同而改革。今日托洛斯基還是革命元勳，明日就變成了蘇聯的叛徒。俄國的專制主義、泛斯拉夫主義，與帝國的擴展是馬克思與恩格斯所痛恨的，亦與俄國革命的原則相背馳，史大林初則不許馬、恩這一類觀點的發表，終於一九三四年著文對恩格斯施行暗中攻擊，指摘恩格斯著〈俄國外交政策〉一文。帝俄時代的備受共產黨人攻擊的措施，到了共產政權仿效時又變成應受頌揚的政績。德國原與蘇聯為不共戴天的敵人，德、蘇協定簽訂後，蘇聯的宣傳又忽譽之為攜手合作的盟國。昨天剛罵英、美，今日又讚譽英、美。這種矛盾的宣傳的例子真是不勝枚舉，不僅局外人視為可笑，即蘇聯人民恐亦深感困惑，真不明瞭哪個是愛國英雄，哪個是人民公敵，哪個是攜手的友邦，哪個是交惡的敵國。這一類朝秦暮楚的手法，共黨政權的獨裁者，亦未嘗不自知其荒謬，但他不能不這樣做，不如此就不能達成共產黨的目的。

至於捏造或竄改事實，牽強附會及蓄意撒謊是否可以騙人，我們的看法這種策略事實上已獲有相當的成就。在鐵幕內，由於消息封鎖，言論不自由，兼以人民知識程度較低，在起始這類的宣傳雖招致困惑，但日子久了，可能有不少人信之不疑。曾參不會殺人，他的母親當然瞭解得很清楚，但是有人接二連三向她報告說她的兒子的確殺了人，她也就不能不懷疑或有其事了，希特勒也曾說過：「一種謊言被人連說三次也可能使人相信其為事實。」一個言論自由和學術自由的國家捏造事實騙人是不可能的。〈君斯坦丁的贈與〉那一個偽造的文件過了一千多年還被人用考據法證明它是一個偽造的文件，何況當代的事實。假定西方民主國家有人宣傳氫氣彈試驗根本沒有這回事，這一個人定要被人視為瘋癲而有被人送入瘋人院的可能，但在共黨國家中，這類欺人的謊言卻看作是一件尋常事，報紙不敢否認，私人不敢指摘，久之，一般不加思索的人民也可能信以為真了。鐵幕外迷信共黨的人士，因為不覺共產黨人在撒謊，也可能把他們的宣傳當作事實。誰敢說共黨捏造事實或撒謊的宣傳就不能騙人呢？

共產黨捏造歷史、竄改歷史雖獲得部分的成功，但這不是說撒謊就是對的，相反的，他們的捏造或竄改歷史正是說明共黨的理論是站不住的，故不能不靠捏造與竄改的手法來維持它。賣假藥的人全靠欺騙，假藥才有銷路，沒有人肯睜著眼睛買假藥的。凡捏造事實或撒謊的都是以欺騙手段掩蓋一種醜惡的真相，祇有醜惡才需要遮蓋，美和善是不怕人知道的。一個幽嫻貞靜的女子絕不怕人知道她的美德，但是一個淫亂的婦人總是要掩飾她們的醜行。一個貪汙的官吏不能不靠造假帳以表示清廉，一個傷天害理的惡人卻歡喜自詡為慈祥愷惻的君子。健全的理論用不著捏造事實來支持，良好的制度也不必擔心人民的自由批評。執此標準以論共黨的理論與實施可以無大過矣。

基佐的歷史學

法國浪漫主義派史學創始於迭利（Augustin Thierry），至彌其勒（Jules Michelet）而告終結。於是政治學派又乘時崛起。這一派與浪漫派主義學派不同，它旨在解釋歷史而不是敘述歷史；它是教訓的，而非描繪的；它所注重的是國家而不是個人；是歷史的內在解剖與組織，而不是存在的形式與色彩。因此，這一派史學家所最感興趣的問題乃是社會結構、政體的演變，以及國與國之間的關係等等。他們的理想乃是要將科學方法運用於歷史之研究。

基佐（François Guizot）出身於新教的家庭，他的父親因反對大革命的過度激烈而罹難，故基佐終其身都祇是一位溫和中庸的自由主義者。青年時，他即以博學幹練聞於世；年二十四遂被聘為索邦大學（Sorbonne）歷史講師。及拿破崙帝國覆滅後，他才獻身政界。復辟時代，他曾屢任顯要。在他所寫的兩本著名的小冊子中，他力倡中產階級應成為政治上的決定力量，並宣揚「中庸」（juste milieu）的理想。有智識的資產階級確是神權論與暴民主權兩大敵對壁壘間的真正中間人。社會的敵人在過去是專制主義與甲可賓主義；而今則為反革命。革命中所贏得的一切永不能喪失；但有賴於一種真正君主立憲的均衡來維持之。

一八二〇年基佐重任歷史講席，他第一個課程便是講授代議政府的源流，頗醉心於英國的制度。他的法國制度的講演則旨在作政治宣傳，其中一部曾載於他在一八二三年出版的《法國史論集》（*Essays On the History of France*）中。他的目的是要探究十世紀前自由的、貴族的與君主的制度是怎樣鬥爭，又怎樣結合起來的。其中最為重要的一篇論文是討論羅馬帝國的市政（municipal government）。羅馬帝國為何會覆滅呢？基佐的看法是：整個帝國時代充滿了奴役、奢侈和專制；以致人們根本失去了擔負國家財政的能力。中產階級既為賦稅的搾取所摧毀，此外更沒有其他財源了。其中尚有一篇史論係討論英國代議制度建立的原因，解釋了國王、貴族與人民之間相互衝突的利益最後如何獲得調和，並且促使自由與有秩序的政府之成長。

接著基佐又研究十九世紀的英國憲政鬥爭。他所著〈英國革命史〉一文係以查理士一世（Charles）的登基開始的。但他並沒有去發掘新材料，也未曾將此鬥爭戲劇化；該文可以說是一種雕刻，而不是一幅圖畫。他以政治家而涉獵史學，旨在獲取實際的教訓，故處處與法國革命相比較。英國的革命沒有打斷歷史的自然進程；他們的革命領袖仍抱著「前事不忘，後事之師」的態度，因之他們所反對的也祇限於濫用王權而已。它與法國革命的異趨，其故亦有數端：一、英國革命乃是政治的，而非社會的；二、它追求自由，而非平等；三、從事革命的人乃是具有高度智慧的有產者。

基佐之成為一位世界聞名的歷史學家，則實有賴於他在一八二八年以後數年間的歷史講演。這使得他的聽眾對他有了無法消磨的印象。他的講述，流暢而清晰；他的態度也極其超脫，絕不捲入人間一切鬥爭的漩渦。他的《歐洲文明史》（*History of Civilization in Europe*）一書是第一部對歐洲文明有清晰的概述的著作；其中開導了一種新的研究方法。他認為近代世界之所以高於古代乃是因為它結合了許多過去孤立存在的有價值的元素。羅馬帝國留下來市自治制、成文法與帝國統治的觀念；基督教貢獻了崇高的教義與世界性的組織；蠻族則帶來了個人自由與自願結合的習慣。所有這些元素都需要長期性的融合；而中古時期便是此種融合的場所。中古後期的主要進步樞紐及象徵乃是在貴族與農民之間興起了一個中間階級；此一階級最後並進入了代議政府。宗教革命激起了批判的精神，清教徒革命則顯示出英國自治政治的勝利和文明世界的征服的開端，此一進程至法國大革命的前夕而終止；由於中產階級在人數、智慧與財富上的增長，革命已成為必然的趨勢了。

基氏各講的價值雖大有不同；但就全部觀之，它在歷史的解釋上確有驚人的進步，而且迄今仍不失為一部對歐洲文明發展最有啟示性的綜覽的著作。基佐的歷史哲學雖是基督教的，但他對社會變遷的解釋則純粹站在人的立場上。他對歐洲歷史各階段的敘述很少可以批評的地方，然而他對個人的影響，以及關於偶然事件的看法則殊有商討之餘地，他將時代的界限劃分得太清楚，設計亦太過精巧，頗使人懷疑其正確性。

繼此書之後，基佐又對法國文明的發展加以詳細研究；蓋他認為法國是歐洲命運的一面鏡子。他開端敘述高盧在日耳曼征服前的社會、智識、宗教各方面的狀況；次論及日耳曼人在萊茵地區時的性質與制度；最後則研究到日耳曼人侵略以及蠻族與羅馬化社會間之交互作用。在一般社會秩序方面，他探溯了蠻族法典的起源及其性質；在宗教方面，他描寫了教會的內在組織及其與社會的關係；在文化方面，他對他們的文學做了一番概略的研討。查理曼大帝的性格及其政策，他的行政改革，以及他立法與教育的影響，在該書中都曾經過精細的研究。最後則敘至教會的大概，以及神學與哲學之發展。在三十次的講演中，他以非常的技巧與豐富的知識分析了五個世紀的生活。一八三〇年他復開始鑽研封建時代的歷史，可惜祇完成了綱要，這位史學家便又被法國的革命浪潮捲入困惱的政治漩渦中去了。

《法國文明史》研究的突然中斷實為史學界中最嚴重的損失之一。就在他那些未完成的零散成績中，我們已可看出該書是十九世紀最偉大的史學成就了。基佐是第一個像解剖學家像解剖人體一樣地解剖著社會；也是第一個像生理學家研究動物一樣地研究著社會有機體的功用。該書實為歷史編列的模範，它對造成文明的形形色色的現象都處理得極其公允，而同時又能堅定地保持了國別史的統一觀點。在方法上說，它也是最科學的。無論從史識、史才上衡量，他都可以說是「前無古人，後無來者」的史學家。分析歷史動力之深刻，處理浩繁史料的氣魄，皆至為史家所歎服。

基佐認為史學家有三重任務：一、他必須收集史料並須知道如何將史料聯繫起來，是為歷史解剖學；二、他必須發現社會的組織與生命，和歷史進程中的規律，是為歷史生理學；三、他必須使許多個別的史實聯成一個有生命的整體，亦即應看到歷史的全面，是為歷史的形相學。但基氏的史學亦有若干缺點：缺乏敘述與描繪力，不能做圖畫式與戲劇性的想像，以及看不見個體與特殊事物的作用。他的歷史寫得太天衣無縫，猶如一條鐵鏈，其中任何一個環節都不能稍動。一切個別的事件都成了歷史的必然，邏輯性過分濃厚，結果遂不得不犯強史就我的毛病了。

基佐除了本身對史學有直接而具體的貢獻外，他並且還利用他的政治地位在多方面促進歷史研究的興趣。法國的歷史研究機構早在路易・菲律浦（Louis Philippe）時即已成立。迭利時史學已成為國家的制度，他曾與蒂耶爾、米尼、巴朗、浮里靄、拉努亞等名史家創立法國歷史研究會；會中活動有翻印編年史、出版原稿史料等。一八六六年巴朗逝世，基佐遂繼任該會主席；該會的研究工作均甚高深，幾乎所有卓越的法國史學家都是會員。該會有一個很重要的計劃，即不顧國家的忌諱而出版法國歷史的史料原稿。但終由於政府的壓制，未果實現。一九三三年，基佐向國王致備忘錄，建議由國家來印行這些史料；蓋他認為孤立的個人即使盡了最大的努力其結果也祇是片面的與有限的。路易・菲律浦對此頗表同情，遂在公共教導部內設立了一個委員會以指導各地的工作。此一偉大事業之完成實對法國歷史研究的發展有無上的價值。

一八四八年的革命浪潮衝倒了菲律浦的王朝，基佐遂亡命英國，重恢復其間斷已久的英國清教徒革命之研究。由於他個人所經歷的崎嶇生涯，此一十七世紀的偉大運動對他遂更為親切而真實。他在分析關於這個問題的爭論，以及記載其觀念的演變方面都有著卓越的成就。但他的著作已不復具有從前那樣文學的氣息，而恢復了最初的教訓和警告的意味。他一直堅信革命是善良的，但經驗卻使得他多少帶了一些批判的眼光。他實際上確承認卡萊爾（Thomas Carlyle）所說的克倫威爾（Cromwell）的革命熱誠，但否認他對克氏在政治上的估價，因為克氏實際上從來未有任何建樹。他本欲將這一段的歷史寫到一六八八年，終因要撰寫「自辯書」（Apologia）而未能完成。誠然，在關於查理士一世的若干冊著作中，他並沒有獲得什麼新鮮史料，然而他對「共和政體」（Commonwealth）時代的外交政策則投射了新的光芒；而其關於克倫威爾的著作也確在知識上有真實的貢獻。他的《論英國革命》一書雖然不及其《法國文明史》的重要，但他的新穎的解釋卻也名重一時，即使今日讀之也可使人感到興趣的。

現階段新勢力運動的檢討

新勢力運動目前處在相當沉寂的局面之中；這種沉寂會使得一部分人高興，當然也會引起一部分人的憂慮。我個人過去很少寫過關於現實政治方面的文字，因為那時湊熱鬧的人太多了，而我對於政治則祇相信一句古訓：「為治者不在多言，顧力行何如耳。」但在今天這種情形之下，我倒反而感到有點不能已於言了。即使如此，我所要說的還是和現實政治有著很遠的一段距離。在這篇短論中，我想分析一下，目前這種消沉局面是怎樣造成的？它在新勢力運動的歷史上具有什麼意義？最後我願意略略談談我們自己在現階段所當採取的態度。

新勢力運動從高潮落到低潮，正如其他歷史事件一樣，自有其主觀的與客觀的兩方面原因；主觀的原因是從事運動的人們本身是有嚴重的毛病，客觀的原因則是這一運動所處的空間與時間不利於運動的發展。本乎君子責己之義，我們且先分析一下主觀的原因。新勢力運動，從其所標榜的民主、自由等口號來看，乃是一種濃厚的革命理想主義的運動。從歷史上看，凡是帶著革命理想主義色彩的運動，其成敗底最主要的關鍵端在從事運動的人們對其理想的瞭解是否深切以及為理想而奮鬥的熱忱是否真摯。如果沒有瞭解或瞭解甚淺，並因而缺乏實踐的決心，那麼無論其所標榜的理想如何崇高、如何動人，這種運動都很難逃出失敗的命運，即使能憑著理想的號召力而獲得表面的暫時成功，最後也終不免要變質的。歷史的例證極多，我們也不勝枚舉。這裡我們要嚴肅而痛心地指出：海外新勢力運動之消沉正可以作為說明上述的一段原則的例證。

當然從某種意義上說，人同時也受環境的影響；因之從事新勢力運動的人們之所以未能有很好的成就也自是有歷史社會的背景。我們不能不略加剖視以徹底認清問題的本質。近百年來的中國處在一個空前未有的大轉變的階段；我們固有的文化在西方文化的衝激下發生了根本的變化，因而無法應付新的處境；而舊的社會形態也在一步步地解體過程中，處在這樣特殊時代的中國人無疑地是非常徬徨無主的；因為一方面一切舊的規範、倫理都已失去了應驗，而新的標準則還不曾建立起來。

一句話，近百年來的中國人一直是在摸索新的道路的。這種摸索先天地便含有極大的困難與阻礙。中國人一切是講求「法祖」的、是尊重「傳統」的、是倚賴「經驗」的，可是偏偏現在走到了「祖宗不足法」的境地來了。已往的歷史、舊有的知識，儘管還是我們重建中國社會時所必須參考的，但已不能構成全面社會重建的充足條件了。在這種情形之下，我們才被迫著開始了一連串向西方文化學習的運動。一切創造原都是在「試驗與錯誤」（trial and error）中完成的，近代中國社會的再造自亦無以逃開「試驗與錯誤」的公例。這一百多年來的歷次革新運動，無論其成敗如何，都是這種「試驗與錯誤」的結果。其間曾有過藉西方宗教信仰而發動號召的運動如太平天國革命，有過以中國傳統的「托古改制」為中心的運動如康梁變法，有過融匯中西思想的全面革新運動如辛亥革命，有過一心一意接受西方文明的文化運動如「五四」，更有過不少大小野心家偷天換日地領導著中國走向極權化的運動。這許許多多的歷史現象儘管五色繽紛、眩人耳目，但最根本的原因卻仍然祇有一個——中國新社會的重建還沒有走上正確的途徑。我們自然也無法一口否定這百餘年來千百萬仁人志士努力的功績；儘管每一次運動都多少含有錯誤的成分，並因而產生了種種程度不同的惡劣後果，可是一個最基本、最中心的方向已經給我們找到了：那便是在整個社會結構上我們必須走向現代化的民主之路。這已是全國人民（野心家與獨裁者除外）所一致堅信不移的信念。至於中國的民主究竟將採取怎樣一種特殊的民族形式，這問題我們可暫置而不論。總而言之，無論它的形式怎麼特殊，也不能特殊到違背西方民主國家所已示範的一般民主精神的程度。

但我們的方向雖早經確定，至於如何使全中國人民都能自覺地照著同一方向邁進，卻依然是問題的根本癥結所在，在這裡社會處境與主觀因素發生了密切的關聯：新社會的重建首先就需要有一群人作為運動的中堅分子。而中國社會自隋唐以來，門第勢力消滅之後，便已成了一盤散沙的平鋪局面，沒有任何足以領導全國人民的社會重心。西方民主社會之形成是有其獨特的歷史社會背景的；自希臘羅馬時代的貴族階級、中古的封建主與教會、近代的工商業家（中產階級），以至最近的工人階級（包括勞心與勞力兩種），其社會重心始終沒有中斷。社會的面貌儘管千變萬化，社會的組織力量一直不曾消失。中國過去的社會重心在「受命於天」的主權，知識分子與地主士紳都祇是王權的附庸與輔助者。辛亥革命後王權基本上不存在了，軍閥雖是王權的變種，可是已失去了社會基礎，不能成為新社會重建的號召者。北伐以後種種政治勢力也都是一些中西文化渣滓的交雜物；它們既沒有真正的文化傳統（無論中國的或西方的）作支持，也缺乏大多數人民的衷心擁戴，因此無論這種「勢力」在某一時間內發展得如何蓬勃、壯大，其最終的悲劇命運是絕對逃避不了的。本來就中國的現實說，工商業不發達，農民智識程度太低，似乎祇有智識分子才能擔負起領導社會重建的大任。然而不幸，中國智識分子在長期的王權壓制下，早已喪失了獨立自主的精神，祇能幫助別人去打天下，自己不敢輕易以身試法。《水滸傳》上阮小五和阮小七說：「這腔熱血祇要賣與識貨的。」正是智識分子的寫照，所謂「學成文武藝，貨與帝王家」是也。

智識分子不能成為社會重心可以說是中國社會重建的重大困難之一。而這種局面一直延續到今天沒有絲毫改善。但是我必須說明，我之所以強調智識分子在中國社會重建運動中的重要性，並不是因為我個人是智識分子，因而才自抬身價。我是基於下列三種考慮：第一、西方社會上所以常有階級鬥爭的情形乃是由於它的社會重心常為某一經濟的階級；領導分子與社會本身的利害關係過於密切，無論此社會組織如何完善，總難免要造成階級的對立，因之社會也常處在動盪不安之中。而智識分子則比較上能超越經濟利害，不致因為某種特殊利益而與其他社會階層發生嚴重的衝突。同時，在現代普遍教育推行之下，智識分子數量逐漸增加，他們本身亦來自各種不同的經濟階級，故亦比較有包含性。尤有甚者，智識分子愈發展，愈增多，則此社會的民主成分亦愈加濃，不像某一特定階級有發展上的必然限制。第二、過去的人類社會都是根據利害關係組成的，是牽就現實的，故缺乏理想性。今後的人類社會不能永遠是如此，它必須是有一種高度的理想主義精神，以為整個社會的指導。這種理想主義的精神則是與知識分不開的。如果智識分子可以成為社會重心，則此種精神的保持顯然比較容易。反之，某一特定的經濟階級卻常不免因為利害關係而喪失此種理想主義的精神。領導社會的分子一旦為私利而損害最大多數人民的最大福利時，社會即不免要趨向解體了。第三、就中國歷史文化背景說，智識分子成為社會重心的可能性較其他階層為大。因為儘管過去王權是高高在上的，但在一般社會上，智識分子卻依然是「四民之首」，一向為多數人所尊敬。這一歷史傳統直到如今都未打破。而其他階層則缺乏這種極端有利的條件，一時尚不易建立起領導社會的地位。以上三點是我個人對於解決中國社會重建的問題的基本而又具體的見解。至於與這一問題有關的種種其他問題，因不在本文討論範圍之列，暫可勿論。這裡我願意進而指出的是，新勢力運動之陷入目前這種消沉的局面，是和此一歷史背景有著不可分割的關係。今天在海外從事新勢力運動的人顯然仍是以智識分子為主體的；而這些智識分子之中真正能認清新勢力運動在中國近代史上之地位者，實在寥寥無幾。高唱民主自由的口號的人雖然很多，真能牢牢地把握著此種理想主義之精神者，也百不得一。並且，智識分子因人成事的附庸習氣仍未能改除，不能堅持自己的信念；祇有當客觀環境有利時才肯出頭，一旦時移世遷、面臨困難之際，又不禁動搖起來，腳跟兀自把捉不定。新勢力運動之忽爾蓬蓬勃勃，忽爾而趨於消沉者，這是一個基本的主觀原因。

當然我們也不能祇從主觀原因的角度上去理解新勢力運動的起伏，其中也還有著在人力控制之外的客觀因素。從客觀方面觀察，新勢力運動的處境較之近代中國任何一次運動都遠為艱苦。它基本上是處在一種極端不利的境地之中，因之它便先天地帶有許多不易克服的困難。今天的中國完全落在組織嚴密的極權政權統治之下，我們已沒有自己的空間，以自由發展。過去任何一次革命運動，無論如何危險、困難，總可以在自己國土內進行；而我們現在卻被迫羈留在外國管領地上，手腳絲毫不得施展。過去的仁人志士即使不成功也還可以有無數好機會去成仁，我們今天則已連適當的成仁的機會都不容易找到。這在心理上已使得一切從事新勢力運動的人都感到深切的悲劇意味！不僅此也，新勢力運動同時更是兩面作戰的；左右兩派極權力量在以同樣的熱心期待著新勢力滅亡，也在以同樣的努力摧殘著新勢力成長。在這種情形之下，要人們能堅持自己的信念，勇往直前絕不退後，自然也是加倍的困難了！

我們略一檢討新勢力運動的種種主觀與客觀的阻礙，便不難發現這的確是一種最艱鉅的歷史行程。那麼，在這樣情況之下，新勢力運動是否已注定了沒有前途呢？我個人卻不這樣想，因為經過近百餘年的磨鍊，今天的智識分子有的已深切地領悟到革命理想主義精神的重要性，已經有人可以真誠地為革命理想而奮鬥了——儘管人數依然很少。這種有利的主觀條件是在一天一天的增長之中，等到這些條件在數量上發展到一定的程度時，它便可以克服客觀環境的種種阻礙，並進而主動地創造有利的新情境。主觀條件可以改變客觀條件，乃是人類文明得以不斷進步的基本依據。如果我們不相信人力可以改造社會，那麼我們等於承認自己是祇能被動地接受環境的下等動物。從人類已往的歷史觀察，這種被動論是無法成立的。我在〈迎擊中共的文化反攻！〉一文中曾說過：「決定彼此勝敗的最根本力量最後還是主觀努力。但敵人的努力是有限度的，而我們的努力則永無止境。」我個人對於現階段這種消沉的新勢力運動所以仍感樂觀者，其原因實即在此。今天從事新勢力運動的人們也許會終生不能竟其志，但新勢力運動本身遲早必然有成功的一天。

上面我們祇說到主觀條件可能改變客觀環境，對於客觀條件的可能變化則未嘗加以檢討。客觀環境是不是已經悲觀到不可救藥的地步了呢？其實也未必如此。如果把今日之現狀完全孤立起來，不把它配合到整個歷史長流中去看，那麼它的確是非常黑暗的。然而從全部中國近代史上看，它實在祇是許許多多社會重建運動的波濤中的一個低潮階段而已。歷史原是曲線發展的，黎明的前夕總是高度的黑暗。像今天這樣的革命低潮在近百年的中國已不祇發生過一次，我們略一回溯歷史便可瞭然。社會的變遷，文明的發展，也的確有些人力控制以外的地方；「山窮水盡疑無路，柳暗花明又一村」，這是歷史上常有的現象。如果據往可以推來，則中國在這一度大黑暗之後一定很快地會重見光明。特別當我們往前看的時候，我們更覺得很樂觀，覺得充滿著希望。低潮過後不就該是高潮的到來了嗎？因此，根據整個近代史的歷程來衡量現階段，我們深覺在無希望之中仍埋藏著無窮的希望，黑暗之中仍溫漾著幾許火星。

湯因比（Arnold Toynbee）研究人類文明的結果，曾提出一項「退而後進」（withdrawal and return）的原則。這項原則不僅適用於社會運動，同時適用於個人。湯氏說道：「我們已看見他們（按指社會創造者）最初跨出行動而進入狂熱，然後又跨出狂熱而重歸於一個新的高度平靜。我們運用這種語句是在以個人的心理經驗來描寫創造的運動。我們並將用個人與他所屬的社會關係的名詞來描繪運動的同樣的雙重性，我們不妨稱它為『退而後進』。『退』可以使人瞭解仍然蘊藏在他的內部的力量，如果當時還沒有從社會的痛苦與束縛中解放出來的話。這種『退』可以是他自己的自願行動，也可以是在他控制之外的環境強迫他的結果；無論屬於哪一類，『退』總是一個機會，或者還是『隱者遁化』（anchorite's transfiguration）

的必需條件。……但孤獨的遁化是沒有目的的，甚至也毫無意義，除非它是重來的前奏，即遁化者重新進入他所自來的社會環境……。『重來』才是全部運動的精華所在，也是它的最終的原因。」

湯氏的話正可以解釋新勢力運動在現階段所處的地位。從整個中國社會重建運動的歷程上看，目前我們是處在「退」的階段。新勢力運動乃是一連串中國社會重建運動的最後綜合（synthesis）。由於過去歷次運動的錯誤與失敗，我們現在是需要靜靜的反省，此即湯氏所謂「跨出狂熱而重歸於一個新的高度平靜」的階段。在運動高潮一度消歇之後，不能緊接著再來一個新的狂熱，必須要有「退而後進」的長期準備。過去數年來若干從事新勢力運動的人們因為犯了政治急色症，希望運動很快地發生現實效力，因而根本忽視了「退」的重要性。這些人中，很多乃是舊社會的延續者，事實上不可能承擔起重建新社會的大任。所以我們也不必深怪。但是真正願意獻身於新勢力運動的志士們卻不能不認清自己的歷史地位。我們如能承認運動的本身依然未脫離「退」的階段，那麼對於目前的沉寂局面便不應再感悲觀，更不應拿表面的熱鬧看作運動的進展，而當視今日的沉寂為理之當然、事之必然。老實說，耐不得寂寞的人是不配談創造新社會的。

把現階段的新勢力運動及其歷史上之地位弄清楚了，最後我們就該檢討一下我們在目前究竟應該做些什麼？可能做些什麼？祇有認識眼前自己的一切，然後我們才能展望新勢力運動的未來。前面說過，新勢力運動乃是重建中國社會的運動，而這一運動首先必須建立起新的社會重心，這種重心根據我的分析又似乎以智識分子為比較適宜。至於運動的本身則眼前依然處在「退」的階段。在這種種的客觀條件之下，很顯然地，我們祇有在文化工作上努力。關於此點我在〈我們眼前的文化工作〉一文中曾提及之。現在我檢討了整個運動之後，我深覺從事文化運動不僅為當前環境中唯一可能努力的方向，同時也是和整個運動所處的地位相配合的；不僅符合運動本身的迫切需要，同時也是從事運動的無數個人所僅有的獻身所在。何以故呢？智識分子要想成為社會重心必須做到下列兩點：一、的確能在文化上有所建樹，足以領導社會前進；二、同時還要能身體力行，實踐自己所倡導的理想，不能和過去一樣祇會坐而論道。文化工作是實實在在的，絲毫不容許投機取巧。倘若智識分子不能切切實實地做好文化工作，他們就不配、同時也不可能成為社會重心——獲得大多數人的一致景仰與尊敬。這樣一來，不但智識分子本身的前途毀滅了，中國社會重建的運動也要受到嚴重的打擊。

文化運動一方面乃是全面的社會重建運動的前奏，另一方面又是脫離舊社會的「退」（withdrawal）的先聲，這兩者事實上是合一的。湯因比說：「退總是一個機會」，一點不錯；我們今天的「退」正是要為捲土重來做良好的準備。我們絕不是沒有目的、沒有意義的「退」。在此「退」的階段中我們祇能在文化運動上多所努力。誰要不承認這一事實，不肯潛心地做些實際工作，一心祇想藉著外緣來從事政治上的投機，誰就必然會遭遇到最悲慘的失敗，最後並被淘汰出革命行列之外。

然而另一方面我們也得時時警惕自己，不能「退」得太過，必須記住：退是「重來的前奏」，「重來才是全部運動的精華所在，也是最終的原因」。我發覺有些朋友們因為新勢力運動一時沒有展開的希望便遽爾心灰意懶，決心不參加任何社會運動，祇知追求一己的生存與幸福。這樣的「退」也同樣是要不得的，因為它已根本不準備「重來」了。

我相信我已經把現階段的新勢力運動檢討得相當徹底，我的話雖然不十分具體，但都處處可以和現實相印證。現實常常是不合理的，問題在於我們能否從不合理的現實中去尋出一條合理的出路。所以新勢力運動在現階段儘管沉寂，可是並沒有值得悲觀的理由，它仍是希望無窮的。我們要想早日打破這種沉寂，唯一的辦法便是多在文化工作上奮鬥，祇要我們在文化上真能有輝煌燦爛的成就，則政治上的開花結果將是不成問題的事。曾參說：「士不可以不弘毅，任重而道遠。」我深盼從事新勢力運動的朋友們能深思之！

人生的徬徨
——從《星星、月亮、太陽》說起

徐速兄的《星星、月亮、太陽》長篇小說的中下兩集最近已由高原出版社出版了。這部書長三十萬字是徐速兄近年來一部比較精心的創作。我因數年來與徐速兄時有過從，他的作品我大概都有先睹為快的機會。我看完了全集之後，便告訴徐速兄說，我有興趣給這本書寫點讀後感，而他也很希望知道我對這部書的意見。但是近年香港似乎有一種風氣，凡是有一本新書出版，總不免有幾個熟朋友寫「書評」捧場。而「書評」差不多千篇一律地是說好不說壞。不知道別人對於這種風氣怎樣看法，我個人實在不敢苟同。所以我在提筆寫這篇文章的時候，心中就不免有點猶豫：我該怎樣落筆才對呢？並且，我又不是專攻文學的人，似乎沒有資格批評一本文藝創作。反覆考慮之後，我覺得我祇能將讀這本書以後的真實感受，以及從這種感受中而聯想到一些問題，綜合起來談一談。因之我在這篇文章中所要說的話便和時下「書評」中所眼見的語言不大相同。不過這種方法也並不是我自己的獨創，英國十九世紀最著名的書評家麥考萊（Thomas Babington Macaulay）所寫的書評，驟看去似乎全篇文義與原書沒有什麼關係，及至讀後仔細回味起來，竟覺得是絲絲入扣。又如王國維先生評《紅樓夢》，文長兩萬言，而直接觸及《紅樓夢》者不過千餘字，我說這話自然不是妄把自己和上述兩位大師並列，我的意思乃是希望這樣的書評方式也許可以在真正文藝批評極端缺乏的此時此地發生些微啟示作用而已！

《星星、月亮、太陽》，全篇的故事在描寫一個少年和三個不同性格的少女的戀愛故事，正如作者在該書的封底所說的：「在這本小說中，就藉著（星星、月亮、太陽）這三種不同的情調，象徵了三個不同性格的女性，扮演出三種不同的戀愛方式，更融合了文藝的三種崇高精神——真、善、美。」而整個故事發生與發展的時代背景則是中國八年抗戰及其前後的十餘年間。作者是用第一人稱的筆法寫的，書中的男主角——「我」是徐堅白，三個女主角是朱阿蘭（星星）、秋明（月亮）、蘇亞南（太陽）。結局是阿蘭死了，亞南在戰火中殘廢了，秋明卻在香港作了修女。如果我們依據西方傳統的分類方法，那麼我們也未嘗不可稱它為悲劇的，不過這悲劇卻和西方的悲劇不同，而是中國式的悲劇。在形式上它當然是接受了西方文學的技巧，在本質上則仍然沿著《紅樓夢》的路子，是富於中國情調的。作者在潛意識中似乎深受《紅樓夢》的影響，如徐堅白的母親提到秋明和阿蘭時說：「你看（秋明）態度多大方，多文雅，多有福氣。不像阿蘭那樣，清瘦得怪可憐，一陣風來就可以吹倒，活像《紅樓夢》裡的林黛玉！」（十九頁）這簡直是把她兩個說成薛寶釵和林黛玉了。又如：「但是她（秋明）卻說：『它情願犧牲自己的光芒，讓給星星，叫愛星星的人得到快樂。』阿蘭姐也說：『不要像貪心的孩子似的；得著月亮，還想摘下天邊的星星。』同時，我也想起佛經上說：『弱水三千，我祇取一瓢飲……。』」（四三頁）這裡所烘托出來的男主角的心情也正和賈寶玉的心情十分相似。所以作者假男主角的口吻說：「這更充分的證明我適合於悲劇性格。悲劇的性格，在愛情上說是珍貴的；他往往把愛情看作至高至上，甚至犧牲生命都不足惜。」（四八頁）可是這部小說中也並不是完全都是中國古典的人物，蘇亞南便是很好的例子：「長得並不十分美，紅紅的臉，深深的眼睛，高高的鼻子，活潑而健美，有一種男子的豪爽氣質……這是一個偉大倔強的女性……她有光、有熱、真像春天裡的太陽。」（三七——三八頁）這樣的女性便不是中國傳統社會中所能夠找到的了。這是娜拉式的新女性，是西方文化侵入中國後所帶來的產物。我之所以要強調這一點，乃是因為它在揉合中西文學而開創新文藝路線上有比較成功的表現。不像有些新小說家把中國人的情感完全寫成西方式的，那顯祇是閉門造車。並且，阿蘭和秋明雖是中國女性，在感情的處理上卻多少還接受了新時代的啟示；而亞南這位新女性呢？一觸及男女的私情也一樣逃不掉中國女孩子，忸怩與含蓄。讀者不妨自己留心一下，我不想舉例說明了。

我是一個學歷史的人，對於一切文藝作品，我總喜歡從它的歷史文化背景上著眼。我指出這本書所受的中西兩方文藝傳統的影響，正是要說明它所描寫的人物和環境都是在中西文化相激相盪的過程中產生的。近百年來的中國人一直在摸索著新的道路，而同時卻也一直在徬徨中。歷史文化的徬徨反映到現實上便是人生的徬徨。本來人類自有文化以來便從未達到過絕對合理協調的境界，而且也永遠無法達到；因此人生多少都是在徬徨之中。不過當文化失調之際，人生的歧路愈多，則徬徨之情也因而愈深。《儒林外史》開首那闋〈蝶戀花〉便說：「人生南北多歧路，將相神仙，也要凡人做，百代興亡朝復暮，江風吹倒前朝樹。」也正是我們這個時代的寫照。王靜安先引用叔本華的悲劇論評《紅樓夢》，認為它是「由於劇中之人物之位置及關係，而不得不然者，非必蛇蝎之性質，與意外之變故也；但普通之人物，普通之境遇，逼之不得不如是，彼等明知其害，交施之而交受之，各加以力而各不任其咎。……則見此非常之勢力，足以破壞人生之福祉者，無時而不可墜於吾前；且此等慘酷之行，不但時時可受諸己，而或可以加諸人，躬丁其酷，而無不平之可鳴，此可謂天下之至慘也。」但是叔本華雖知悲劇之造成有緣於「普通之人物，普通之境遇」者，他卻未能進一層追究此種人物與境遇又何由而成為悲劇之原因。

唐君毅先生在他的《中國文化之精神價值》一書中曾論及中國文學中的悲劇意識，而謂：「中國之悲劇意識，則為『人間文化』之悲劇意識。故《紅樓夢》之悲劇，非祇寶玉、黛玉二人之悲劇，乃花團錦簇之整個榮寧二府之悲劇。七十回《水滸》收束於一夢，實亦使整個《水滸》籠罩於一中國式之悲劇情調中。」唐先生從「人間文化」的觀點講中國之悲劇意識確是深一層的講法。所以他指出：「施耐庵著《水滸》在元時。元之時代，乃中國文化精神，上不能通於政治，下不能顯為教化，而如夢如煙，以稀疏四散於文人、書家、畫家及僧道之心靈中之時代也。此時代中人皆有悲涼之感焉，唯如煙雲之繚繞，而歸於沖淡。」其實這段話用之於我們所面臨的中國亦同樣有其真實性。在我看來，中國的悲劇意識固然是「人間文化」的，而西方的悲劇亦自有其文化之背景。西方文化中充滿了人與神、人與社會之衝突，故其悲劇多表現為盲目命運之作祟，或善惡之鬥爭而惡勢力戰勝。西方悲劇意識之強烈便於其文化中的波濤起伏；中國悲劇意識之沖淡亦可歸於中國文化之重內在的協調。因此我們可以說，中西悲劇意識表面上儘可因具體的文化條件之不同而表現為不同的形態，實際上卻仍有其精神上的互通之處。

我們且撇開文化問題不談，另從一般人生觀點上來看悲劇意識之起源。西方哲人對於悲劇之論甚多，柏拉圖最早便把看作人性中的問題，所以他嫉視希臘的悲劇作家，認為他們是在逢迎人性中的缺點。其後如法國名文學批評家法格（Emile Faguet）及英國名政論家柏克（Edmund Burke）均從人性的善惡來解釋悲劇意識之所出。至於德國的哲學家如席勒、黑格爾、叔本華、尼采等則進而從他們的哲學觀點說明悲劇的人生根據。席勒以悲劇為捨生以求善的實現。黑格爾認為悲劇起於兩種理想的衝突，而悲劇人物的結局，從「永恆公理」（eternal justice）的角度看，仍是當然的，叔本華與尼采則都在「人生原是痛苦」的大前提下分析悲劇可使人知「退讓」（resignation），人可以從退讓中求終極之解脫，如《紅樓夢》中賈寶玉之出家一樣；尼氏是樂觀的，謂悲劇可使人從痛苦的現實中游離，而在個人人生之

變幻中求永恆的人生。（參看朱光潛《文藝心理學》第十六章）

這些哲人從人生的痛苦與理想之衝突諸方面來瞭解悲劇，給我們開闢了一個新的境界。這就可以和我在前面所說的人生的徬徨連接起來了。不過這些哲人的看法有點各執一偏，我們應該綜合著看。人生原是多方面的，不應止於任何一隅，但人在生命的途程中，由於具體文化條件的限制，事實上卻不可能面面都照顧到。真善美同是人類所追求的價值，但得於此者失於彼，似乎永不可能全部得到。從這一點看，我們覺得人生的本質也許就是悲劇的。不過一般芸芸眾生能夠滿足於某一種價值之獲得，而不惜付出其他許多同樣重要的崇高價值以為交換的代價。而且古往今來許多偏激的哲人們則祇教我們抓住某一項他們認為最重要的特殊價值，他們以偏概全，視部分為全體，而大聲疾呼地說：「宇宙的真理已全部在我的思想系統之中，你們祇要不顧一切地追求它，你們就可以得到全部了！」徬徨的人類有時便會上這類思想家的當，結果則一切都撲個空，連那些思想家錦囊中所僅有價值也不見了。所以從歷史上看，世界有時儘管顯得攘攘熙熙、勃勃有生氣；然而這種局面總是不能持久。何以故？正唯人生未臻協調之境故。然而人生所追求的畢竟不祇一兩種特殊的價值，在人的內心深處永遠盪漾著對於各種價值的嚮往。這種嚮往可以說是人生永恆的一面。因為人類有此永恆之一面，故人常在徬徨之中。此徬徨不是消極的，而是積極的；不是無處歸依，而是在許多價值面前不知何適何從。

我們從此境界再回首下望人寰處，於是我們瞭解：《紅樓夢》之悲劇是人生徬徨的悲劇，而《星星、月亮、太陽》的悲劇，也無從例外。世人都說賈寶玉用情不專，見異思遷，殊不知寶玉之猶疑不定正是因為他在許多各有可愛處的女孩子面前，無法選擇。金玉合而木石離固是悲劇，使木石合而金玉離，則在寶玉的心中亦未嘗不同樣有深切的遺憾，因而亦無所逃於悲劇的命運。有歸宿之愛情似完滿而實庸俗，無結局之愛情似悲而實美，《紅樓夢》之所以終成悲劇者，正因決定其歸宿者不是寶玉，而是「普通之境遇，普通之人物」耳！

《星星、月亮、太陽》中的男主角在主觀的感受上與寶玉便毫無二致。他雖中夜良心自責道：「愛情的騙子，別再掩飾吧！摸摸自己的良心吧！你自己違背你的初衷了，你曾經真心真意的愛過亞南，而且拚著性命趕到戰場去。可是，一顆炮彈就將你的愛情炸碎了。三個月的變化中，你又復燃起阿蘭的舊愛……你這個反覆無情的傢伙……。」這聲音似是來自他的另一女友，秋明，然而實際上它代表一般世俗的看法，也是現實中的徐堅白自己的觀念。所以理想中的徐堅白馬上辯護道：「不！不！秋明！你不瞭解我！」這瞭解祇有透過男主角的徬徨靈魂才能獲致。星星、月亮、太陽，或阿蘭、秋明、亞南……這些價值徐堅白是無法同時獲致的，但沒有一樣不是他所追求嚮往的。這使得他最後依然歸於徬徨：「秋明……等下去，你的真情會感動她的……。」「回到故鄉去！在阿蘭的墳墓旁邊生活吧……。」「亞南不是在為你祝福麼！到海那邊去找她吧……」

這徬徨是必然的。在徬徨的人生中求一定的歸宿，那是芸芸眾生的事；作為《星星、月亮、太陽》的主角則祇好永遠徬徨下去。這和賈寶玉之終於出家同樣是人生不可避免的悲劇！

輯五

一九五五～一九五六年

問題簡答[1]

亞東讀友：

您所提出的四項問題簡答如下：

一、人與人之間為何要互相殘殺？

此問題太大，不易答得完滿。最根本的原因是人類文明程度仍然太低，未盡脫野蠻時代的獸性。現實原因則是社會制度未臻合理之境，法律、道德、風俗、禮

1 編按：本文刊於《人生》雜誌之「人生通訊」專欄，為對讀友提問之回覆。

教……等等都不足以解決人與人之間的種種糾紛，由於文化與社會的力量不能消弭糾紛，人們遂不得不在社會規範之外去尋求私人的解決，這樣往往就走上各走極端之路，互相殘殺的悲劇，遂在這等情形下造成了。至於互相殘殺的個別原因則極其複雜，有因利害之衝突，如政治鬥爭、經濟鬥爭而起者；有因心理之癥結，如嫉妒、仇恨、偏見……而起者；亦有因感情之激動，如失戀而起者……無法盡述。

二、國家與國家之間如何要互相戰爭？

此問題基本上與第一問題密切相關。就已往歷史上看，有的戰爭源於殖民地之爭奪，有的源於疆土之爭奪，有的源於物質原料之爭奪，有的源於宗教信仰之衝突，如西方中古末期之宗教戰爭，最近又產生一種因思想主義歧異而產生的新戰爭形態。總之，戰爭原因極多，絕非某一單獨因素所能解釋得通的，共產黨人純粹把戰爭當作階級利害衝突的最高表現，其錯誤是很顯然的。

三、人與人之間有階級否？

階級之分是存在的，但不僅僅是經濟的階級，政治上有統治者與被統治者的階級之分，經濟上有地主與農奴、資本家與勞工等的階級之分，文化上有智識分子與文盲的階級之分，社會上有身分貴賤的階級之分……。共產黨人祇強調經濟階級，而否定其他階級劃分，那也是不顧事實。至於這幾種階級劃分之間是否合一，我們的看法也不一定。大體上說，愈在古代，階級劃分愈單純，政治上的統治者也就是經濟上的剝削者，文化上的智識分子也就是社會上的貴族，但到了近代階級關係卻變得複雜了，有錢的人未必有政治勢力，更未必有知識；法治上的官吏也不一定是有錢或有學問的人。這樣一來，階級的界線便變得比較模糊了，所以人們常說近代社會是一個比較平等的社會。

四、交友有分階級否？

這不一定。在古代階級不同的人比較不容易成為朋友，但現在卻不同了，官吏與工農、富人與窮人、知識分子與文盲一樣可以交友。原因是因為階級關係已從單純走到複雜的境地來了。

天祥讀友：

「關於母文教育對兒童的重要，及其對中華文化的生死存亡關係。」

你的問題問得過分嚴重了一點，我們現祇簡答你一點原則。本國人必須懂得本國文，這是天經地義的人權，絕不容許被剝奪。因為祇有懂得本國文字，然後才能瞭解自己祖國的歷史與文化，愛國之心必須建築在真實的瞭解之上，而語言文字則是人類瞭解的先決條件，根據這種原則，則中國兒童必須受母文教育乃是天經地義。普法戰爭時，法國的阿爾色司與洛連兩省割予普國，普國人不許該二省的兒童再讀法文，當時愛國法人引為奇恥大辱。故法國名小說家寫了〈最後一課〉，藉一個小學生之口來敘述亡國之痛，而「不准受母文教育」的痛苦成為這篇小說的主要描寫對象，由此可見母文教育對兒童是如何的重要。至於說海外僑胞兒童因為沒有母文教育，中華文化便會滅亡，那又未免想得太嚴重了。現在中共在大陸雖然讓兒童們學中文，但是由於他們在思想、學術、生活方式各方面都要把中國傳統文化徹底消滅，這樣下去中華文化倒真有滅亡的可能。由此可見僅僅有母文教育還是不夠，此外還得要多多求得瞭解中國的歷史文化的真象。不過，中國人必須受中文教育，這一點則是我們天賦人權的一種，我們絕對要爭取並保衛這種權利。

余英時　謹覆

法國政治學派的兩大史家
——讀史隨記之一

一、米尼的歷史研究

米尼（François Auguste Marie Mignet）在法國史學界的地位甚高，他於一七九六年生於亞士（Aix），拿破崙帝國覆滅的種種事件使得他對政治發生了濃厚的興趣，而他的居宅也就成了政治討論的中心了。在與他往來的友人中，以蒂耶爾與他最稱相知，終於成為六十年的摯友。他們都憤恨復辟時代之種種過度措施；蒂耶爾發夢想獲得官職，而米尼則已將歷史研究與實踐相結合了。他曾研究過聖路易（St. Louis）時代的法國制度。他的論文對人的影響與都弩和萊羅不同，他之所以受到歡迎，不僅是為了他對這位基督教徒的國王及其法典有了極生動的描寫，而是因為他將封建君主時代的法國做了一番清晰的綜述。他的歷史觀也頗為重要，他認為歷史不但不是受人的指導，反而人是歷史的工具。據此，他將法國史分成三個階段，在最初的兩朝代時，它有傾向獨立的趨勢，終於達到封建混亂的最高階段；接著，它又有傾向秩序的趨勢，遂有專制主義之高峰，是為第二階段；最後它的自由的傾向，乃將法國導至大革命時代。米尼的歷史哲學至此已臻成熟階段。他之輕視個體的歷史定命論後來曾招致不少攻擊。

一八二一年，米尼偕蒂耶爾至巴黎，旋即在報館獲得工作。他們的論著竟至引起了泰勒朗（Tolle Yrend）氏的注意。但米尼無意獻身新聞工作，旋即在雅典尼（Athenee）大學講歷史。

在路易十八統治的最後數年間，法國反動勢力日益高漲，人們對大革命的態度遂亦分成敵與友兩派。米尼也就決定通過對革命的頌揚以攻擊反動王朝。米尼曾以英國革命史為例證，指出君主立憲制度的危險性。他並本此旨而撰成《法國大革命綱要》（*Precis of the French Revolution*）一書，是書問世後立即獲得熱烈的歡迎，曾被譯成好幾種文字，即德國一地就有六種不同的版本出現。一般評論家咸認為，該書的研究基礎雖甚狹隘，而且也未曾重寫過，但它直到今天仍不失為一部有用的著作。米尼從當時的歷史家如泰勒朗、都弩等人，以及其他顯要人物處吸取了很多的經驗，而不曾有沾染到他們那種的情緒，因此遂能正確地把握到大革命的原因。他的最大的天才乃在於能抓住許多事件之間的邏輯關聯，並將此種關聯串成一體。他將大革命寫成一有機整體，大革命絕不是一個偶然的變亂，而是過去歷史之必然結果，與未來的新社會的開端。雖然當時正是革命的低潮，但這位史學家卻對革命具有堅強的信念。他強調此一運動的必然性，此種必然性貫穿了他的全書。他認為即使合法的改革演變成激烈的革命，我們也無從否定它的原則。不過他也承認好的目的並不能證明壞的手段為正當的，所以他嚴厲地譴責以殺人為唯一的方法的恐怖統治。

批評家如柯羅克（Croker）、卡萊爾（Carlyle）則一致認為該書缺乏生命力，祇是一種死後的解剖而已。米尼的擁護者卻反駁說，那正是因為米尼治學的精細與理智，故使他能估計大革命的實際結果。聖貝夫（Sainte Beuve）則指責米氏的歷史定命論，他否認大革命有什麼一定的道路，如果彌拉波活得長一點，或羅布斯庇和拿破崙早死了，那麼革命的變化不就很大了嗎？後來，沙陀布朗也同樣指出此種觀點的錯誤，並稱他和蒂耶爾為「定命學派」（Fatalist School）的創建者。所有這種種非難，雖然不是毫無根據，但畢竟有些渲染過火。誠然，米尼承認偉大運動的威力凌駕於個人的利益與意志之上，但他也並不是相信什麼鐵律的。一位理想主義與自由意志的信徒——茱爾．西蒙（Jules Simon）便曾為米尼辯解道，米尼之所以被人攻擊為定命論者，乃是因為他信仰邏輯的緣故。

該書出版後，在反波旁（Bourbon）王朝的戰役上確曾轟動一時；其後，米氏重又回到新聞界。一八二四年，路易十八逝世，查理士十世（Charles X）繼任。查氏也是一個極端反動的分子，甚至堅信君權神授之說，於是法國更充滿了反動的氣氛。一八三〇年七月的禁止出版的命令，主要就是為了對付米尼和蒂耶爾、卡羅（Carrel）等所合辦的《國家報》（*National*）而頒布的。但米尼等不僅沒有遵守此項命令，並且立即於次日即發一種全巴黎新聞工作者的抗議書，由米尼領銜署名。接著，巴黎激起了革命，查理士為菲律浦所代替，確定了君主立憲的制度。米尼不願做官，遂任外務局檔案監理人，這一職位既無人和他競爭，而他也確是最適當的人選。這樣，他又再度回到了歷史研究的老路。他開始研究的是關於日內瓦的宗教革命的狀況；旋接到基佐的邀請，請他協助整理法國史料。他負責編輯有關西班牙繼位（Spanish Succession）問題的歷史文件，曾分為四巨冊出版。他在該方面的工作雖未全部完成（祇編到「寧威根和平」〔Peace to Nimwegen〕）為止，但他在前面所寫的導論（introduction）卻把這一段史事敘述得很完整，而被譽為歷史的文學傑作。他在這一篇導論中所顯示出的史識、判斷、淵博，以及其思想與風格之清晰、堅定，都是他人所不可企及。此外，為了使人瞭然於半個多世紀以來法國與西班牙的關係，以及歐洲列強的形勢，他並有專書描寫這一時代中一些的首要政治家。這部書不僅使我們對路易十四、瑪撒琳（Mazarin）等人有了正確的認識，而且還開了外交史的先聲，因此極獲世界學術界之好評。《西班牙繼位》一書在他所有的著作中雖然是最不通俗的，但卻是他對歷史研究的最寶貴的貢獻所在。

接著，他又回到了宗教革命的歷史研究。一八四〇年他完成了導論的部分，將自古代結束的基督教與人類思想做了一番綜合的概述。他不願意發表，故宗教革命史亦始終未撰成。其後，他又研究十六世紀的歷史；他以法國、西班牙等國的檔案為根據，再參照威尼斯的使節的報告，很技巧地將這一段期間的歐洲政治寫得有聲有色。米氏的歷史著作，在量上說，雖得有限，但從品質上看，則都是最佳的。他的每一句話都經研究，每一個判斷都經過衡量。因此，巴貝夫稱頌他道：「那崇高、莊嚴過，甚至神聖的歷史性格，刻劃在每一件他所描寫的事件上。」他與基佐一樣，祇注重那些直接影響著社會制度、歷史運動的人物。就將科學研究的方法和精神運用到國家歷史上而言，他確是前無古人的。

一八三三年，基佐回到道德與政治學院任職；米尼也是其中的新人員之一，一八三七年他並被聘為該院的長期秘書。因為他具有淵博的知識、辦事能力，以及正確判斷，所以他才能治理並領導著此一著名機構達數十年之久。他死後，同事們曾為他編了四大冊的「頌文集」（Eloge），其中有他自己的講演詞，都是很精彩的研究成果；這更使他的同事們的工作增進不少。

二、蒂耶爾及史學

在米尼著述其《法國大革命綱要》的那一年，他的朋友蒂耶爾（Adolphe Thiers）也在詳盡地從事撰寫法國大革命的歷史。蒂氏認為當這幕史劇的主角們快要下場的時候，是最適於寫史的機緣。因為人們可以收集許多當時目睹的事實，而不滲雜任何意氣與情感。最初數冊祇是寫一個大要，而且也不甚經心；但是居然獲得相當的成功，因此促使他對後來幾冊的撰寫倍加謹慎。他該書的主題很明顯的是政治。他是一位主張君主立憲的史學家。故他所持的見解與革命者不盡相同，但他仍堅信革命的必然性是與正義相結合的。所以他說：「我們支持這同樣的理由，但我們並不必然要為他們的行為做辯護。我們可以將自由和那些損害了自由的人們分開來。」他反對恐怖，並歎服王室的私德與勇敢，對於革命分子的許多行動，他都曾加以責備。

蒂氏該書乃是事實之敘述，而非對因果或是條件有什麼研究。米尼的著作有著判斷與觀感，蒂氏讓讀者自己去推想一切。該書始於巴斯狄的風景，其敘述僅止於事件之表面。他對財政問題之處理極為卓越；對義大利戰役之形容亦頗為生動，至於軍事組織以及戰略問題的研究也有著驚人的成就。該書的主要特徵乃在於史法的新穎。蒂氏對於歷史有特殊之消化力；祇要他自己知道了，他就可以立即傳授給讀者。所以聖貝夫說他之指揮千百萬件史實，猶如大將之指揮千百萬隊一樣。他的《法國革命史》一書是第一部詳細敘述這一近代最偉大的事件的著作；該書銷路極廣，至今仍擁有大量的讀者。

誠然，就蒂氏該書的本身而言，似乎不應當受到這樣熱烈的歡迎，但有些批評家的指責也殊嫌有過火之處。如卡萊爾對該書的評論已到了極其揶揄的程度。蒂氏在著述時，正值法國政爭劇烈之際，由於材料的缺乏，其中確有些不經心的錯誤。不過若說他對大革命的瞭解乃是全盤的錯誤，則也不是公允之論。他和米尼一樣，對基朗底派（Girondins）有所誤解，他對指揮府（Directory）的歌頌也有些過分。但是，原則上他對大革命的目標及其結果的贊同，與夫他之鄙棄恐怖，則已成為一般的歷史定論。該書的真正錯誤則在於它的看法太皮相；而作者又不瞭解吸取新材料的重要性。一句話，這完全是因為蒂氏本人的政客氣質超過了歷史家的成分的緣故。

路易．菲律浦時，蒂氏也曾一度出任官職；但當基佐於一八四〇年出任首相的當兒，他卻局部地退出了政治鬥爭。他的《法國革命史》原祇寫指揮府時代為止，這時他又接著撰述指揮府以後的法國歷史。在這新的史學研究中，他與以往的著述有著一種本不同的態度；那便是他修史的政治動機已經消失了。雖然後來菲律浦解除了他的職務，但他並無意推翻那憲政王朝。至於他之重新尊崇拿破崙，則就是該書著作的一種結束，而不是其目的。

接著，蒂氏又決定研究拿破崙的歷史，關於拿氏之研究，拿氏生前即曾委請他的朋友，弼隆（Bignon）從事於此項工作；稍後數年又有雷菲勿（Lefebvre）氏撰寫過一部簡要而更富於批判性的拿破崙研究。但他兩人祇考察了拿氏生涯的幾個方面；而蒂氏則要對此做全面的研究。蒂氏本人曾有過行政與外交的經驗；並曾親自訪問過德國、義大利和西班牙的戰場。此外，他又和路易男爵（Baron Louis）討論過拿破崙時代的財政；和榮彌尼（Jomini）、費亞（Foy）討論過拿氏的戰略。因此，他的《議政府與拿破崙帝國史》（*History of the Consulate and Empire of France Under Napoleon*）一書較以前的法國革命史寫得更為井井有條。該書最初的七冊於一八四八年出版，內容敘述到狄羅西和平（Peace of Tilsit）為止。蒂氏認為議政府時代的拿破崙，無論在戰場或內閣中，都是法國的救主，他說：「那時他的唯一動機乃是為善。」在蒂氏早期的著作中，他是同情民眾政府的；如今他雖然未曾公開擁戴專制主義，但對拿破崙的行徑的同情顯已駕於他對自由黨人的同情之上了。這大概是根據他在一八四一年的一篇講演詞而來的，他說：「我愛大革命，因為它是我國的新生；但是如果不是拿破崙的挽救的話，很可能已經毀滅了。」因此，他認為拿破崙的改變是必需而且合法的。可它剌（Royer Collard）即曾指出，蒂氏將議政府描寫得非常理想化。在外交政策方面，他也寫得很有聲色，他甚至擁護拿氏的大陸制度（Continental System）。

他在撰寫第二共和時代的歷史的數冊中，主要的是關於法國攫取西班牙的一段故事。在這一方面，他是第一位把其間關鍵研究得很清楚的史學家。他對西班牙人民非常同情，認為他們比一般知識階級還要有感情些。他們反抗外人侵犯祖國利益的行為也是高貴的。及至寫到中歐，這位史學家的獨立態度表現得更為明顯。他認為一八〇九年的德國已與一八〇六年時不同，故征服者的行徑引起了德人的憎恨。這時，拿破崙已不復是大革命的寶刀，而成了一個獨裁者了。蒂氏對第二帝國的專制也極為慨嘆。關於拿破崙之侵略俄國，他認為是一個極嚴重的錯誤：「悲劇後果之造成並非由於這個或那個過失，而係源於一重大的錯誤，即不應該到俄去。而這個錯誤中卻又包含著一個更重大的錯誤——意圖違反正義，違反人民意志，而不思及侵略所犧牲的鮮血。」蒂氏不悉德文，故德國方面的瞭解甚為淺薄。梅特涅氏失權後，蒂氏曾遇見過他，因此在他的著作中對這位老政治家極端推崇。當拿破崙從厄爾巴島逃回法國時，蒂氏復稱讚他為和平者和憲政主義者。在該書的結尾時，蒂氏提出了這樣的警告：「誰能預見一八〇〇年的聖賢，到了一八一二年竟成了瘋人呢？是的，人們可以預見及此，那祇有記住萬能者是絕不可靠的。從這一重大事件上（按：指拿破崙的事情而言），我們可以瞭解到，我們永遠不要把國家的命運放在某一個人的手中。」

在一八五五年所撰寫的該書第十二冊的序言中，蒂氏這樣解釋他著史的精神：「我對處理不公道的觀念感到羞愧，而我自己竟曾做過錯誤的判斷。要想對人的評判公正，我們必須消除我們靈魂中的情感！並記住我們自己的獨斷。」對人與事物領悟入微，便是史才。拉馬丁氏認為蒂氏往往以成敗論是非，是一種錯誤。

蒂氏對英國的瞭解亦甚淺，因此他未能公正地處理畢特（Pitt）的政策與威靈頓（Wellington）的天才。同時，外交檔案與外國學者研究的結果他也知道得不多。關於奧國政策方面，他毫無問題地取材於梅特涅的譯本。他敘述軍事技術，以及拿破崙的種種戰役的佳績，這也是使他的著作流傳頗廣的原因之一。而該書中的財政部分更是受到無條件的稱頌。一部二十冊的著作可以自始至終吸住讀者的興趣，無論在風格上或主題上都是一種偉大貢獻。蒂氏就是憑著那種明白而扼要的史法達到這樣的效果的。因此，聖貝夫對他曾一再嘆服。他認為像這樣長的一部巨著，竟能如此的充實與輕鬆，的確令人感到少有的滿足。

總之，《議政府與拿破崙帝國史》一書，在歷史學中永遠有著卓越的地位，其後拿破崙故事研究之所以鵲起，此書實屬主要因素之一。因之，拉馬丁稱之為十九世紀之傑作。弗林特（Flint）則謂它為最有趣味的歷史著作，雷暮撒（Remusat）更舉之曰：當代文學的最偉大的紀念碑。該書既是一種政治結果，也是一種文學的成就。後來批評者亦很多；但無論是敬佩他的人或批評他的人，有一點是共同承認的：那便是蒂氏對拿破崙時代歷史的研究有著極大的推動力。

記湯因比在哈佛大學的講演

——當前世界中基督教與非基督教的信仰

湯因比（Arnold J. Toynbee）的大名，對於現代中國智識分子應該是很熟悉的吧！這位以《歷史之研究》（*A Study of History*）負譽當世的英國哲人，我早在國內的時候，便已非常仰慕了。在我看來，湯氏似乎不能稱之為歷史家，倒毋寧以「文化哲學家」較為合適。我這樣說，並不是貶抑他的地位，而是更尊敬他。不久以前，在湯氏後四冊《歷史之研究》出版之後，有兩位美國史學家曾在《思想史學報》（*Journal of History of Ideas*）上批評湯氏，他們也認為湯氏不是「歷史家」，而是「預言家」（“Toynbee as a prophet”）與「詩人」（“Toynbee as a poet”）。可是他們的批評著重在湯氏過於以哲學系統網羅歷史的那一面，因而認為他「太不客觀」。換言之，他超出了歷史學的範圍。湯因比自己的答辯是很值得我們玩味的，大意是說：「我的歷史之研究，乃是研究歷史，而不是敘述歷史。因之，我便有權利說歷史以外的話。」是的，湯氏的《歷史之研究》是把自古迄今人類各種已有的文明做了比較之後，綜合出若干重要的規律並劃分了若干不同的類型。這種研究方法與傳統意義上的歷史研究確有相當距離。正統派的史學家因此而否定湯氏為史學家，亦不為無據。但記者以為這並非湯氏的缺點，而恰是他超邁前哲的所在。——當然，這祇是我個人的看法，此處不必深論。

湯氏到哈佛大學來講演，正如胡適之先生在台灣的講演一樣，確是此間一大盛事。記者最初並無所知，而是在飯廳中聽到幾位美國女學生說的。我問她們讀過《歷史之研究》沒有，答案都是「沒有」。她們祇是「英雄崇拜」而已！後來我又和一位老太太談起這件事。她開口第一句便是「啊！偉大的湯因比！」由此可見湯氏的大名在西方真是所謂「婦孺皆知」了！記者既是學歷史的人，當然不肯放過這次聽講的機會。講演一連四天（十月廿四至廿七日），地點在哈大紀念堂（Memorial Hall）。講題是當前世界中之基督教與非基督教的信仰。但實際上，湯氏的講演牽涉到整個人類文明的危機，他對文明前途的憂慮溢於言表，有些話，我相信一般美國聽眾是無法瞭解的，倒是我這個來自東方憂患之邦的人還稍能體會這位哲人的用心於萬一。現在我把他講演的大意寫在下面，希望可以為我們文化界的一種參考。

十月廿四日下午四時，哈大紀念堂裡黑默默地擠滿了男女老幼，有的甚至在兩點鐘左右便在講堂外面等候著了。剛到四點的時候，哈大神學院的一位神父陪伴一位白髮蒼蒼身穿黑色西服的老人出現在講臺上——這便是千萬聽眾熱烈期待著的湯因比教授。湯氏剛一出現，臺下立即掌聲雷動，歷數分鐘不息。掌聲過後，神父先介紹了一番，於是湯因比才走到麥克風前，在再度鼓掌中開始他的講演。

在第一次的講演中，湯氏大體上對世界各種「較高的宗教」的信仰、教義等做了一番比較，他將佛教、印度教、回教與基督教並列，並特別指出佛教與基督教的差異乃在於前者的態度是消極的、遁世的，而後者則是積極的、救世的。復次他特別謹慎地討論到如何建立各種較高宗教之比較的標準問題。在這個問題上，他表現出一種廣闊的哲人胸襟。他並不認為基督教比其他宗教為高，而且在其後的幾次講演中他又一再強調各大宗教並列不悖，有漸漸接近必要。不過他有一句話記者則以為尚有斟酌的餘地，他說：「耶穌上十字架這一事實會使一個佛教徒為之震驚。」其實就記者所知，佛教在起始時也同樣具有這種犧牲小我，成全大我的精神。佛說：「我不入地獄，誰入地獄！」這和耶穌上十字架時的心情有什麼兩樣呢？此外在佛教傳說中也還有不少類似的捨己救人的故事。因之，耶穌上十字架之舉似乎並不足以驚駭佛教徒，相反地，這應該也是釋迦牟尼所歡喜讚歎的事。由於這一次講演祇是開場白，湯氏除了敘述宗教史之外，便很少發揮他自己的見解。以下的三次講演才一步一步地逼入問題的核心。

第二次講演的小題目是「當前世界的特徵」。當前世界的特徵是什麼呢？湯氏先從歷史的回溯開始。他說：「在十六、十七世紀時，人們一提到西方文化時便聯想到基督教。到了十七世紀末期西方文化已經伸展到全世界。中國與日本已經覺得有與西方文化取得協調的必要。但是工業革命以後，西方的工藝（technology）開始發展，而且一步步地代替了基督教在文化中的地位。到了現在人們提到西方文化便祇聯想到它的工藝，而不是基督教了。」

工藝與科學的迅速發展，在湯氏看來，目前不僅威脅到較高的宗教，而且也威脅到整個文明的存續。近代西方人一方面挾其優越的科學成果而向外擴張力量，另一方面則在內部展開了要求解放的運動。西方這種個體解放的理想確是一份重要而寶貴的文化遺產。可是，湯氏接著又說：「在解放這一概念之中，又出現了兩種互相衝突的觀念：一是個人的解放，另一則是集體的權力集團的解放（emancipation for collective power groups）。後一觀念係源於『人的崇拜』或『一個領袖的崇拜』。」他並引用希特勒的「我要使每一個德國人不自由，以造成整個德國的自由」，來說明領袖崇拜的惡果。於是湯因比問道：「解放的意義究竟何在呢？為了人類的靈魂抑或是為了權力集團呢？」這個問題的根源，還是在於西方工藝與科學的過度發展。湯氏指出：「近代西方的權力對於其餘的世界壓迫太甚，而人類要求平等的願望又如是迫切。因此非西方的世界遂被引導著走上信賴人類集體權力的道路。非西方的世界一方面接受了西方『解放』的理想，一方面又熱烈地學習西方的工藝。文明的危機於是遂日深一日。」

談到這裡，湯氏的話題又轉回宗教方面。「在目前西方的世界中基督教與其他現存的較高宗教的前途又將如何呢？首先必須指出，近代科學與工藝的驚人發展是開始在世界的某一區域，而在這一區域內，自然已被人們剝空了它的神性，同時還存在著一個強烈的一神論的基督教。在這種情形下，最大的危機倒不在於工藝與科學開啟了自然崇拜之門，而在於工藝神化了人類的集體權力，篡奪了宗教的地位。

人類工藝的成就已經把人類的集體權力提高到非常可怕的程度。我們已面臨著一種危險，即此種權力已被濫用到壓迫個體自由與功利主義形式的社會和政府；甚至還可能用原子戰爭來毀滅這個星球上的生命。」湯氏同時還告訴我們：「世俗幸福的追求，正如權力的追求一樣，乃是與較高宗教的理想與教訓不相容的。如果我們以個體的世俗幸福為最後目的而追求之，則我們將永遠在失望之中。不過集體權力的追求更為可怕，它與較高宗教之間衝突乃是一種絕對的衝突，絕無調和的可能。而個體幸福的追求與較高宗教之間的衝突則不必一定有這種悲劇的結局。因為個體幸福的追求還可能安置在宗教的背景之上，並重新加以純化，而納入正途。」

「在過去，當若干較高的宗教在世界上安然地統轄著精神力量的時候，它們之間的差異太被強調了，它們彼此衝突鬥爭，都想獨霸人寰。在今天，它們都看到橫在面前的集體權力的崇拜已威脅到每一個較高宗教的存在。這種崇拜威脅著它們的共同思想與教義。」因之湯氏最後得出結論說：「如果目前世界的情形真如上所說，那麼傳統的各大宗教的信徒們是應該重新考慮他們彼此之間的關係了！」

第三次的講題是「基督教與西方文明的關係」。他首先便指出十七世紀的宗教狂熱曾逼許多神父們逃到美洲來；這種狂熱不幸今天又重臨人間。不過它的方式改變了，它的幽靈依附著二十世紀的意識形態而復活了。湯因比進而指出：「十七世紀神父們的世俗化運動（secularizing movement）是要把宗教從狂熱症中解放出來。到了十八、十九世紀時，人們甚至相信狂熱症將永遠絕跡於人間了。現在我們知道狂熱症並未被消滅，它祇不過一度潛藏在地下，待機借屍還魂而已！」

「狂熱症所依附的廿世紀的意識形態認定基督教已古舊無用，對於當前文明已不再能起任何推動作用。其實這種意識形態的本身便毫無新義可言，而祇是一些重提的舊話罷了！我們不難看到今天共產主義中全世界規模的集體權力的崇拜，正和古羅馬迫害基督教時期人們對羅馬諸神及凱撒大帝的崇拜十分相似。在狂熱症復活的今天，由權力崇拜所造成的人類災害無疑是更巨大了，因為它現在有了新的武器——人的崇拜，一個領袖的崇拜。」

話題接著轉到當前戰爭的危機上，湯氏認為原子能本身並無罪惡，倒是那些邪惡的頭腦是很危險的。「物質的武器的本身也不可怕，運用這類武器的狂熱症才是我們鬥爭的對象。在今天，基督教及所有較高的宗教都發現它們自己已遇到了一個共同的敵人——人對權力的崇拜。」因而他覺得我們不能過於迷信人自己的能力，而當信仰上帝——超人的精神力量。他堅決地說：「較高的宗教應該重新考慮它們彼此之間的傳統關係，更當消弭彼此之間的歧異，俾能並肩對共同的敵人作戰。」

他深信基督教仍將是世界上一種有生命的精神力量，即使西方文化過去之後它還將繼續存在。

最後一次講演的題目是「基督教如何與當前非基督教信仰相溝通」。湯氏自己也承認這是一個最棘手的問題。他說：「主要的問題乃在於我們基督徒必須怎樣做才能與我們的兄弟們（其他較高的宗教信從者）相配合？首先我們必須將基督教中那些偶然的西方附加物清除出去。這是很重要的，因為人常常會由崇拜上帝而轉為崇拜他的部落或他自己。若把基督教看作是任何國家或文明的部落宗教，那不但是一種歷史的謊言，並且是一種思想的錯誤。基督教的福音不僅屬於西方，同時也屬於全人類。其次更有一點應該清除的便是以基督教為特有的思想（Christianity is unique）。如果我們承認猶太基督徒所見到的上帝是愛的話，那麼我們必須相信，我們最不願上帝沒有給我們留下一點他自己的顯示，同樣的我們也就不能說上帝沒有給世界其他部分的其他民族留下一點他自己的顯示。一個人可以相信他曾接受了上帝的顯示，而不必說他所得到的是顯示的全部。獨占思想（exclusive-mindedness）必須從基督教中滌除，因為它是一種思想的罪惡狀態——驕傲的罪惡。這種獨占思想的可能表現方式之一便是自我中心（self-centeredness），這絕不可能是基督徒所直覺的上帝的本質。如果仿效上帝是人的工作，那就是說我們人類這種工作是要打破我們的自我中心。這是我們使自己與上帝的本質之間取得協調的唯一道路。」

最後他說道：「然則我們懺悔的基督徒對其他較高宗教的態度究該如何呢？我建議我們承認所有較高宗教都是上帝關於何者為是、何者為善的顯示，無論這些宗教在將這種顯示傳達給個人與社會的程度上如何不同！」

以上是湯因比在哈大四次講演的大意。有許多話湯氏說得很含蓄，但我們東方人是不難揣測他的弦外之音的。湯氏對基督教的期望也許過高，但他為人類尋求一種共同的精神力量以維繫人類文化於不墜的用心是值得敬佩的。尤其是最後一次講演中所表現的廣闊胸襟，及其企求世界各大宗教攜手合作的態度，在當代哲人中更不多見。也許有人會說，湯因比太主觀了，他的願望雖好也祇能是空想而已！這種批評亦在情理之中。但記者以為文化問題包羅萬象，其解決之道絕非少數哲人的呼籲所能奏效。如果我們不至於唯物到共產黨徒那樣程度，還相信人類精神的力量多少有助於文化的發展，那麼即使湯氏的話有過於主觀之處，也應該是可以諒解的。如果歷史的研究祇限於言必有據、字斟句酌，而於人類的前途不能略做推測與指示，簡言之即鑑往不足以知來，則史學之價值究竟何在，亦不能使人無疑。記者雖很景仰湯氏，倒也並不曾達到湯氏所謂的「個體崇拜」的程度，而且湯氏講演中的許多觀點，亦非記者所能完全同意。不過記者於此不能參加任何個人的見解，記者所當做的祇是力求客觀而忠實地將湯氏的講演內容報導給中國的讀者，使沒有機會聽講而對文化問題有興趣的人也能知道湯氏的看法而已！此外一切，那就不是記者所能負責的了！

十一月五日於劍橋

奇蹟的出現

——聖女貞德之死（四之一）

貞德（Jeanne d'Arc, Joan of Arc）是生於法國東部勞蘭省邊境的一個農村裡的女孩子。她的家庭是一個小康的農民家庭，當時的法國係處在封建割據的混亂時期之中，社會上常常有種種鬥爭發生，人民過著水深火熱的日子，得不到一刻的安靜。這一切可怕的事實，在貞德小的時候便在她天真爛漫的心靈裡留下了深刻的印象，雖然，她的家人和鄰人們都把她當作一個「簡單而愉快的過著活的好女孩子」，可是她對美好的祖國河山與可愛的同胞所遭遇的一切不幸，早就有了深厚的憐憫和同情。並且她自小便有一種特殊的秉賦——先天地帶著濃厚的宗教氣質，常常聽到上帝的聲音。有一天早上，當貞德跪在耶穌神像面前禱告的時候，她忽然聽到教堂中聖樂大作，接著有一種奇異的聲音在她耳邊響了起來：「貞德！你是有使命來到法國的！你應該馬上找法王查理士，去說服法王，讓他給你軍隊，你會拯救法國的！」她很清楚地聽到這幾句話，她是絕對相信上帝的，當然毫不遲疑地去告訴了她的父親、母親、叔父，以及其他友人。她認為這是上帝號召她去救國的時候了！可是她的父母親戚以及朋友們竟完全不相信她的話，一口咬定她是發神經病，尤其是她的父親，不但不同情她，並且罵她太懶，所以才發生這種幻想，這使貞德心裡感到非常難過。然而她的信心竟是如此堅定，她極力說服他們，並要求叔父帶她去見一位住在鄰近的皇室侍衛長。終於，她的叔父被她的熱情所感動了，把她介紹給那位侍衛長，但困難還是一重一重地擺在貞德面前，侍衛長又嚴厲地拒絕了她要見法王的要求。無比的堅決的信仰支持著貞德，不斷地給她力量，侍衛長經不起她的苦苦哀求，祇好答應派一名衛士護送她到西隆去見法王，因為那時法國皇室總部駐在西隆，路上要經過許多危險地帶，如果沒有衛士護送，一個女孩子是無法到達西隆的。

到達西隆之後，她立刻想辦法去覲見法王，然而她的困難並沒有終止，相反的，困難是愈來愈大了。法王查理士是一個無道的昏君，非常自私自利，並不肯真為維護國家領土和人民的幸福打算，兼之，他的一個親信臣子，名字叫做特富慕爾的，也極其奸險，更是不遺餘力地阻撓貞德的救國行動。在奸臣的策劃之下，法王便給予貞德一種荒唐的考驗：法王和其他許多衣飾相同的人站在一起，要貞德在人中找出來，因為她是從來沒有見過查理士的。可是說也奇怪，當覲見的那一天，貞德居然在大庭廣眾中認出了法王查理士，她跪倒在他面前，說：「我找到陛下了！我要為國家出力，完成上帝給我的使命！」這簡直是奇蹟！所有的人都驚愕不已，包括法王自己在內。在這樣情形之下，查理士是沒有理由可以拒絕貞德的請求了。

而貞德呢？也不能完全靠著奇蹟來救國，她必須用行動和成就來證明她的神聖的使命。當時法國的奧良城正為英軍所包圍，眼看著就被攻破了。法王於是便派貞德率領一部士兵去解奧良城之圍，她先從河道運送了許多食物到奧良城，使守城的人們不致餓死，然後又一個一個地攻下了英軍的堡壘。不過幾天的時間，奧良城的危險過去了，貞德獲得了空前的大勝利，整個法國的人心都為這一勝利所震動，貞德的名字也就隨著人們的歡呼聲而傳遍了全法國，以至於全歐洲。人們都送給她一個綽號：「奧良之女！」這位「奧良之女」帶領著勝利大軍進向勒門城，因為祇有勒門城才有巨大的教堂可以為法王舉行加冕禮。公元一四二九年七月十七日法王查理士在勒門城加冕，貞德的功勳也到達了頂峰！

這時，貞德已經知道上帝給她的使命已經完成了，她請求法王准她回到家鄉，和父母兄妹們共敘天倫之樂。然而法王不答應她的退隱請求。她祇好再接再厲地過著戎馬生活，同時也獲得了一次又一次的勝利。貞德雖然是一個出生鄉村未受教育的女兒，可是她卻賦有非常的領導才能。她的生活是純潔而高貴的，真正有著虔誠的宗教氣質，而她的宗教熱誠也的確感動了她手下無數的士兵們，使他們樂於在她的領導下為祖國效死。她一方面穿著男人的戎裝指揮殺敵，一方面卻從不肯親自殺人，保持著溫柔敦厚的女人本質；但她絕對不怕危險，相反地她掌著大旗隨時跑在危險的最前鋒，越是危險的地方便越是看見她掌著大旗在迎風飄舞。在國王的軍事會議席上，她又是最敢仗義直言，據理力爭的人。

不幸得很，貞德這些美德不但沒有給她帶來幸福，反而成了她的悲慘結局的原因。她的同僚、奸臣，甚至法王查理士自己在內心深處都對她極度痛恨。他們都等待著陷害貞德的機會，而機會也很快地到來了！一四三〇年的五月，貞德率領軍隊想從伯干底人的手中奪回康邊（Compiègne）來，然而她被自己的人們出賣了，成了伯干底公爵的俘虜。本來在她被俘以後，法王是可以用錢將她贖救回來的，但這位自私自利的國王拒絕這樣做。貞德的悲劇命運是無法逃避的了，她終於被伯干底公爵以高價出賣予英國人。在英人的陰謀布置之下，貞德被當作一個妖婦，受到最不公平的「審判」。

無恥的審判

——聖女貞德之死（四之二）

一四三一年二月二十一日，貞德被帶到審判臺前，布哇的主教要她作忠實的答覆。貞德說：「我不知道你們要問我是什麼意思，也許你們有些問題我是不會解答的。」最後她同意宣誓說真話，除了她所看到的神聖景象之外。「關於這些景象」，她說：「你們先把我的頭砍下來再說。」可是那些審判官們並不肯饒過她，一連幾天對她加以疲勞審問，迫她答覆一切問題，她要求審判官除去她身上的鎖鍊，審判官卻說她曾企圖逃走，不准所請。貞德供詞中有一段極莊嚴：「把我送回上帝的地方去吧！……你們自以為是我的審判官，請你們仔細想想，老實說，我是上帝派遣來的，你們審判我實在是使你們自己處在最危險的地位。」

這類的話無疑使審判官們大為震怒，於是他們向貞德提出一個最卑鄙的問題，對任何人問這個問題都是一種罪惡。這問題是：「貞德，你相信自己是完美無缺的人嗎？」他們相信可以使貞德回答不出了，因為她若答「不」，那麼就等於說自己不配作上帝的工具；但另一方面，她又怎樣答「是」呢？不料聰敏的貞德竟回答地如此巧妙，她說：「如果我不是的話，上帝也許喜歡使我變成完美無缺；如果我是的話，上帝也許喜歡我繼續做一個完人。」

審判官們被反擊得啞口無言了！

儘管貞德是如此的英雄，她畢竟還是一個女孩子，在凶惡敵人的重重精神與身體的迫害之下，有時也會變得很軟弱。她這樣反問自己：「如果上帝並不保護我的話，那我便是世界上最悲慘的人了……但如果我是有罪的話，上帝的聲音就不應該到我的耳朵裡來了……難道每一個人都和我一樣的可以聽到這種聲音嗎？……」她是多麼的惶惑啊！

這些審判官早就決定把貞德當作一個妖婦或異端來判決的，所以他們在審問中設下了許多陷阱，貞德一不小心便會掉下去的，其中有這樣一個問題：「當你看到聖米琪顯聖的時候，他是不是裸體的呢？」這是一個卑鄙可恥的問題，貞德卻用最聖潔的話來答覆道：「你們想我們的上帝曾在任何地方沒有給他衣服穿嗎？」

到了三月三日，這些愈來愈離題的問題更多了，審判官們總想把貞德騙入圈套，以便宣布她曾與魔鬼勾通，這樣，他們便可以名正言順地燒死貞德了。

「你們看到的聖米琪和神女們也都有身體四臂嗎？你能確定他們真是天使嗎？」審判官問道。

「是的，我相信是這樣的，正和我相信上帝一樣的堅定。」貞德答。

「人民為什麼吻你的足、手和衣服呢？」

「這些窮苦的人們是自願來找我的，因為我從來沒有傷害過他們，並且我還盡過我一切的力量去幫助和保護他們的。」

貞德的答辯使得任何有良心的人都受到震動，自開審以來的一個月之間，審判在人事和地點上都有了極大的變動。有些審判官離開了，有的換了人；審判的地點也從堡壘的大廳改到監獄中來了。到了三月十日，祇剩主審官考紳（Cauchon）帶著兩個會審人員和兩個證人在牢中關門審訊了。

在這一連串新的審訊中，考紳把問題集中到少數要點上來了。

「你所聽到的聲音是不是也稱你做上帝的女兒、教會的女兒呢？」審判官問。

「在奧良尚未解圍之前，這種聲音常常叫我，每天我都聽到：『貞德，上帝的女兒！』」

「你在波勒瓦的堡壘上為什麼要跳下去呢？」審判官問這問題是想讓貞德說她意圖自殺。貞德卻答道：

「我聽說可憐的康邊人民全部要遭到屠殺，連七歲的小孩子都不能倖免，同時我又知道我被出賣給英國人了，我寧可死也不願落在英國人的手中。」

「你所看到的聖靈恨英國人嗎？」審判官接著問。

「他們愛上帝之所愛，恨上帝之所恨。」貞德答。

「那麼上帝恨英國人嗎？」

「在上帝所愛所恨的人之中，當然也有英國人在內，但上帝究竟對他們怎樣，我不知道。祇有一點我是知道的，所有在法國的英國人一定都要被驅逐出去，除非他們死在法國。」

「你所聽到的聲音有沒有叫你逃走呢？」

「這和你的審判無關，我也把自己交給上帝，上帝高興怎樣便會怎樣處置我。」

「你所聽到的聲音有沒有對你說過你的結局的大概情形呢？」

「是的。他們告訴我說，我將會得救，要我保持愉快和勇氣。」

有一天她又對審判官說：「聖靈說我將勝利地獲得解脫，他們告訴我：『好好的吧，不要擔心殉道的事；最後你將會進入天國的。』」

「雖然他們這樣對你說，你是否真的覺得已經得救，不會墮落到地獄中去了呢？」

「是的。我完全相信他們的話，因此我好像已經獲救了一樣。」

貞德對於上帝的虔誠信仰使審判官對她無懈可擊，他們原來的計劃被粉碎了。最後他們一再陰謀商議的結果，終於找到了另一種陷害貞德的詭計。他們已經無法指責這個聖潔的妖婦或者證明她與魔鬼相通，但貞德的答詞中一再說明她曾直接受到上帝的啟示，而沒有提到她對教會的態度，於是他們便想用輕蔑教會的罪名來誣害她。因此審判官們便一再問她是否服從教會的判決與意見。貞德對於這個問題的答案很簡單：「我愛教會，我願盡一切可能的力量來支持教會。至於我自己所做的一切，我將直接向上帝負責，因為我是上帝派來的。」他們反覆地追問這一點，貞德的答語始終不變，不過她又加上一句：「我們的上帝和教會乃是合一的。」

審判官顯然不滿意她的答覆，他們一次又一次地告訴她，這是有區別的；教會有兩個：一個是天上的教會，這屬於上帝、聖者，和一切已經得救的靈魂。另一個是地上的教會，這屬於教皇、主教、僧侶，以及一切真正的教徒。這個地上的教會是受上帝指導的，這也是不會有錯誤的。

「那麼，貞德，你服不服從地上的教會呢？」審判官問。

「上帝派我來幫助法王，我是從天上教會來的；我把我的一切奉獻給它。」這是她的答案。

「那麼對於地上的教會呢？」

「我沒有其他的回答了。」

其中有一個會審官便根據這些話而肯定貞德不信任任何教皇、主教或其他教會人士；認為她祇單獨信仰上帝。現在擺在審判官眼前的問題已經很清楚了：一方面是地上的教會和權威，另一方面是貞德所單獨交往的天上教會——上帝、聖者和天使們，這些都不是一般肉眼凡胎的人所看得見的。貞德祇相信天上的教會，不相信地上的教會。

在這種情形下，貞德的悲慘結局是已經注定了的。因為一方面她不能放棄自己從親聞獲得的真信仰，除非她發假誓，否認她的一切經歷。這是她絕對不會做的。而另一方面呢？教會的權威若要想繼續保持下去的話，它怎麼能取消自己的裁判權，不對貞德加以嚴厲的懲罰呢？

無論審判官怎樣威脅，貞德始終不肯向不公正的地上教會屈服。審判官又指責貞德一項罪名：她穿的是男人衣服。根據教條，任何人如果襲用異性的習慣，都是上帝所厭惡的。因此審判官一定要貞德改換衣裝，貞德起先是拖延不決，後來審判官堅持她非換衣不可，她祇得說：

「我不能說我什麼時候才會換衣。」

「如果你不肯換衣，那麼我們便不准你做彌撒了。」審判官說。

「好的，我們的上帝會讓我聽到他的聲音，我根本不需要你們的幫助。」她答。

「復活節就要到了，你為什麼不換上女裝去迎接救主呢？」

「不！我不能脫去這身衣服。迎接救主和衣服沒有關係。」

她似乎受到了震動，要求審判官允許她做彌撒，所以她補充一句道：「如果你們給我一件很長的女孩子穿的長衣的話，我也許會穿的。」其實貞德為什麼不肯換衣呢？她有她不得已的苦衷，可是她在審判官面前無法解釋。事實上她在監獄中隨時都有遭受蹂躪的危險。在她的監獄中住著三個士兵——三個土匪似的兇漢。而貞德身上卻被套上很重的枷鎖，所以她完全處在他們的暴力威脅之下，她的男人衣服正是她最後的保障，可使她免於他們的汙辱。她不但在獄中時時受到士兵的侮弄和調戲，而且獄牆的四壁還有一個小孔，外面的人也隨時從小洞中監視著她。現在審判官要她換衣服，表面上似乎沒有什麼重要，實則裡面暗含著一個極卑鄙的陰謀：英國人和教會串通了想破壞她的貞操。

英國人自從奧良之敗以後，一直非常怕貞德，現在貞德雖然已經被加上了手鐐足銬，他們對於她的恐懼似乎並沒有消失。當時英國人有一種迷信，即認為貞德的奇異力量一部分是由於她是處女的緣故。因之，他們覺得要摧毀她的力量之源，首先必須破壞她的貞操。祇要她的處女身分被破壞了，她也就和一個普通女人一樣，而沒有什麼可怕之處。

貞德之死

——聖女貞德之死（四之三）

這個卑鄙的陰謀展開了：審判官們一定要貞德換女裝，即使同情貞德的人也很難為她辯護。貞德在這重重壓迫之下，不得不暫時改換了女裝。在剛換女裝的一兩天內，貞德感到非常恐怖。野蠻、強烈的仇恨和報復心都足夠驅使人們對貞德加以蹂躪。據貞德告訴為她懺悔的神甫說，有一次英國貴族曾到監獄中企圖強汙她，經過她死命抵抗才逃過了難關。而這個英國紳士，由於沒有達到願望，遂將她毒打了一頓。

一次陰謀失敗，接著又來了另一次陰謀。一天早上，當貞德起身的時候，看守她的英國兵把她的女人衣服拿走了，給她留下那套男裝，貞德哀求他們說：「先生，你們知道我是禁止穿男裝的，這衣服我是不能再穿的了！」可是他們不理會她，貞德一直堅持到中午時候，她因為要去廁所不能不出去，祇好又穿上男裝，等她回到監房裡的時候，他們什麼衣服也不給她了，她雖然苦苦懇求也沒有用。

他們為什麼又要她穿男裝呢？顯然不是為了保護她，相反地倒是要陷她於罪。因為這樣她反抗教會的證據又多了一件。同時英國人總是不放心她，覺得她活在獄中還可以作妖法危害他們，所以他們必須把她處死。

老實說，貞德之死早已成了定案，一切審判無非祇是虛偽做作，聊以塞世人批評之口而已。終於在復活主日的後一天的早晨九點鐘，她重新被迫穿上女裝，士兵們把她放進車中，運往刑場去了。直到這時，儘管她一再說過英國人要殺她，但她心裡並不相信真的會死。因為她堅信法王查理士和法國人民不會遺棄她，上帝也不會遺棄她，她終能有獲救的一天。如今，她親眼看見自己被架上死囚車，路上站滿了騷動的群眾，四周跟著八百個負槍荷戟的英兵，她一定要死了。她啜泣著，為自己而哀悼，可是她仍然不怨恨法王，也不痛恨上帝。她祇叫道：「我真的要死在這裡了嗎？」

載著貞德的車子奔向一個廣大的市場而去。那兒已經造好了三個臺子，一個臺上坐的是英國紅衣主教和他的僧長們，一個臺上是祈禱牧師、審判官，以及犯人自己，還有一個便是準備燒死貞德的刑臺。這臺造得特別高，站在市場的每一角落的人都可以看得清楚，他們希望人人都能看見貞德確是活活被燒死的。不說別的，就是刑臺的高度就足夠嚇人的了。他們布置了這樣一種高度恐怖的氣氛，無非是想貞德在臨死前可以軟化下來，作一些哀求的呼號。英國人想先燒掉貞德的長衣，讓她的肉體全部裸露出來，因為這可以掃除人們的懷疑，看見貞德的一切秘密：「她也不過一個女人而已！」

在行刑之前，照例舉行一些宗教儀式；一位法國神甫對貞德說：「貞德，平安的走吧，教會已不能保護你了！」這個波瓦的主教已經淚流滿面，布倫的主教也已泣不成聲。甚至有些英國人也竟同樣啜泣不已。貞德自己呢？當然也萬分痛苦，但她虔誠的信仰並不曾有絲毫的動搖。

法王、法國人民、教會都已遺棄了她，現在她把全部信仰寄託在上帝身上。於是她要求給她一個十字架。一位英國人自己用木條造了一個十字架遞給她，她接過來緊緊地握著，用嘴吻著它，然後又把它放進衣服中，這時差不多已到了中午時候了，下面的英國兵已等得不耐煩，他們不等待監斬官的命令便從教士們手中把貞德搶過來，送到行刑人的手中，要他們執行任務。兵士們的憤怒使得在場的人都感到恐怖，其中有許多人包括審判官在內，都離開了法場，不忍目睹。

貞德被送上刑臺的最高處，她的後面有一個木牌子，寫著：「異端、邪教、叛教、偶像崇拜者……」，這就是她的罪名，接著行刑者在下面點燃了火，貞德在上面叫了一聲。但當她看見為她告誡的教友沒有注意到火的時候，她忘記了自己的危險，反而力催教友趕快爬下去，主審官考紳也站在她的面前，她祇對他說了幾句話，這幾句話便是夠使考紳痛苦一生的，她說：「主教：我是死在你的手上……如果你把我放在教會的監獄中，我是不會遭到這樣結果的。」臨死之前，她仍然沒有半個字攻擊法王，她還為他辯護道：「無論我做的是好是壞，我的國王是沒有錯的，因為那不是他給我出的主意。」

這時，火焰升起了……火焰初觸到貞德的時候，她似乎有點害怕，但立刻又平復了。她僅僅叫著上帝、天使和聖者，她說：「是的，我所聽到的是上帝的聲音，這聲音並沒有欺騙我。」至此她已恍然大悟，死亡是她的解救。她的聖潔的光輝在她臨死前的一分鐘竟完全發揚出來了！

聖德不朽
——聖女貞德之死（四之四）

無數的人哭泣，祇有少數英國人在笑，或勉強擠出笑容來！有一個最怒憤她的英國人曾發誓要擲一根柴到火堆中去；但他剛拿起柴來，她已呼吸停止了。這個人當時便病倒了，他的朋友把他抬到旅館中施救，可憐已無效了。他臨死還說：「我看見她呼最後一口氣時，一個鴿子從她的嘴中飛了出來！」另外還有許多人則看見火焰中現出了「耶穌」的字樣，這是她口中所重複呼喊著的。而那個行刑者第二天也懺悔了，他覺得上帝將永遠不能饒恕他的罪過，還有一個英王的大臣，在回去的途中高聲喊道：「我們完了，我們燒死了一位聖者！」

所有這些話都是從敵人口中說出來的，是的，無論從宗教的、愛國的觀點上看，貞德都是一位聖者。一九〇九年，羅馬教會復曾為貞德舉行宣福典禮（beatification），她的聖德是永垂不朽的了！

後記

聖女貞德是歷史上一個特殊的人物，她大約生於公元一四一二年，死於一四三一年，一共才活了十九歲，而她一生最光輝的期間更不過短短三、四年而已。她以一個無知無識的農村少女，一旦受了聖靈的啟示，挺身而出，喚醒了法國人民的民族自覺心，終於打敗了英國人的侵略，這真不能不說是一個奇蹟。這個奇蹟發生的背景，正是歐洲史上著名的英法百年戰爭（公元一三三七——一四五三年），在這一百餘年中英國和法國斷斷續續的戰爭不已，而法國總是吃敗仗。直到聖女貞德出現以後，法國才慢慢站穩了腳步，最後終於將英國的勢力從歐洲大陸上驅逐了出去。聖女貞德小時的生活，歷史上沒有詳細的記載，她的戰功也不必多說，最使我們感動的倒是她被捕以後，從受審到燒死的那一段悲壯的經過，而一般人對於這一段事實反而不是很清楚，所以我特別選擇這一部分來加以介紹，在前面我祇簡單地說明她是怎樣崛起的。

輯六

一九六一～一九七八年

論學書簡[1]

貫之先生：

前奉來教，甚感欲轉載拙文之雅意，其實弟近年來關於通論西方文化之論著，大抵為介紹綜合之作，自己並無新見，吾國南北朝隋唐之譯述佛經者均為造詣極深之佛學大師，絕非如今日但粗識西文者即可率爾操筆之可比，此佛學所以終能興盛於中土之一因也。居嘗竊慕其義，而苦於對西學無深厚之造詣，因而在此方面之文

1 編按：本文以「論學書簡」之題刊於《人生》雜誌，為覆《人生》雜誌社王道先生之答信。

字大體是梁任公所謂纔讀性本善即說人之初耳。故此等文字絕無永久之價值，苟能適應今日之一時需要，已為至幸，此不是故作謙語，想　先生必能首肯也。

今日收到大著《人生之嚮往》及賓四師《湖上閒思錄》，通體翻閱一遍，頗有與故人晤對之感。人生師友關於道德問題、文化問題、中西思想問題等等討論，雖非弟所敢置喙，然私心對參加討論諸公用心之真摯與深切亦甚為欽敬。弟性多理障，平素不敢於理想與現實之大問題輕發私見，弟非漠不關心，亦非毫無主見，蓋自問信道無諸公之堅，任道尤不及諸公之勇耳。平日談論或可狂言無忌，筆之於書則深懼轉滋疑惑，知我如

先生，或可鑑諒此意歟？然今日細思人生諸師友之言論，亦殊覺其於振奮世道人心一端大有裨益。其間具體看法容或不能為弟所完全同意，或亦非今日多數知識分子所能共喻。但此層殊不關緊要。就大體方面言，今日中國文化界需要有如《人生》特殊風格之雜誌以普及並宣揚中國傳統文化，則斷無可疑。鄙意今後《人生》似宜更著重於正面之發揮與建設，不必對時賢多所批評，致啟意氣之爭。弟近數年治國史亦有意發掘中國傳統文化之真相。但下筆為文總是力求客觀，以期不背史實，蓋惟真相顯然後虛說自消，固不必自家反覆申說，惟恐人之不喻也。去年為賓四師祝壽曾撰〈漢晉之際士之新自覺與新思潮〉一長文，最近方出版，未知先生曾見及

否？其中所論亦頗有與現實相關涉者，然文中固無一處不就史實立論，絕不敢離事而言理，尤不敢誣古以媚世，細心之讀者必當有所發見。弟以為唯有如此發明古人真態，始適合弟之個性，而能心安理得也。然弟絕不敢謂一己所見為絕對之是，更不敢謂研治中國文化僅此一途。賓四師所謂「人之為學，才性不同，機緣復異，從入之道，難可一致」者，誠為不可易之論也。　先生若得暇讀竟拙文尚乞有以　教正之是幸。弟現正撰畢業論文，大約半年之後可以結束，預計整裝東歸當在明年七、八月之際，相見之期不遠，不勝興奮嚮往之至，暇時仍盼賜我數行為感。匆此

敬頌

撰安

弟余英時上　十二、廿九

月會講詞——一九七三年九月十四日新亞書院第一四三次月會

各位先生、各位同學：

今天是新亞書院第一四三次的月會。這裡有很多新的同學、新的同事是第一次參加月會。我雖然是新亞的老校友，但月會對我而言也是第一次。因為在我讀書的時代，新亞還沒有月會的制度。以前我在國外，從《新亞生活》雙週刊上讀過很多月會上的講詞，心裡很羨慕新亞後來的同學們的耳福。所以今天我第一次來參加月會，內心是十分感到新鮮愉快的。等一會文學院長孫國棟先生會對你們做有系統的演講，我不想說太多的話。我祇想說明一點，就是新亞精神下的師生關係。在一九五〇年代，即新亞在桂林街的時代，師生的人數都很少，大家不拘形式，但精神、情緒都很活潑。當時我們總說，新亞是一個家庭。經過最近二十年來的發展，新亞的規模和桂林街時代完全不能相提並論了。不過學校的擴張也是有代價的，至少就師生關係說，我們現在已無法維持桂林街時代的作風了。並且，經過二十多年的時間，新亞今天已經是三代同堂：五、六十歲的是老一代；三、四十歲的是中年一代；同學們十幾、二十歲是年輕的一代。西方人常說父母子女之間有「代溝」。中國是不是也有「代溝」呢？新亞是不是也有「代溝」呢？我想，由於中國人一向注重家庭倫理，縱有「代溝」，也未必像西方那樣嚴重。不要以為中國父子關係必然是形式的、嚴肅的。其實中國傳統中，父子關係也可以有朋友的意味。孟子就說過：「父子之間不責善；責善則離，離則不祥莫大焉！」可見古代儒家的聖賢已瞭解到「代溝」問題的嚴重性。近代如傅孟真（斯年）也說，他總是和他的兒子之間保持一種朋友的關係。如果說新亞有三代，那麼三、四十歲的中年一代，就恰好可以成為老、少兩代之間的聯繫。我是屬於中年的一代，我希望可以在新亞老少兩代之間，起一個橋樑的作用。

父子之間應該有朋友的意味，師生之間更應該是朋友關係。我記得中國十八世紀有一位大學者戴震，他平生不肯收徒弟。姚鼐送了門生帖子給他，他立刻退回去，並且寫信說，吾與足下不妨交相師。又說：古人所謂友原有師之義。段玉裁要拜戴震為師，遞了門生帖子，第一次也遭到退帖的待遇。後來因為段玉裁的誠心感動了他，戴震才破例收他為弟子。我們讀戴震給段玉裁的十幾封信，便知道戴氏有時還自稱「友生」。他始終認為師生關係同時也應該是朋友關係。新亞提倡中國傳統文化，不能祇說「尊師重道」一句話，我想在「尊師重道」之外，還要加上一句「師道即友道」。如果老師把同學當作朋友，同學也把老師當作朋友，我們就不會發生所謂「代溝」的問題。這也是「教學相長」的一部分意義之所在。不但中國傳統的師友關係如此，西方的傳統更是如此。近代中國人喜歡援用「吾愛吾師，吾尤愛真理」這句話。這句話出自亞里士多德的《倫理學》。所謂「吾師」即指柏拉圖；我不懂希臘原文，但我看英文譯本，「吾師」其實是「我們所尊敬的朋友」的意思。可見柏、亞兩位，既是師生，也是朋友。所以中國人總好說：「誼兼師友」。我們講傳統文化，講新亞精神，師友之道便是一個最好的始點！

為「新亞精神」進一新解

——新亞書院二十三屆畢業典禮致詞

我第一次參加新亞的畢業典禮是一九五二年的七月七日，離今天已是整整二十二年了。那時我和今天的諸位同學一樣，正是處在離開學校、踏入社會的交界點上。雖然事隔二十二年，但當時畢業典禮的種種情景現在仍一一浮動在我的眼前。諸位同學們大概都知道，一九五二年的新亞書院是在桂林街。那時我們不但沒有禮堂，並且也沒有像今天這樣的體育館。換句話說，那時的新亞根本沒有自己的校舍。我清楚地記得，我的畢業典禮是在香港海邊的一家旅館——六國飯店——裡舉行的。使我更不能忘記的，是我畢業的時候連校長也沒有能來參加。為什麼呢？那一年的四月，新亞的校長（當時稱為「院長」）錢賓四先生在台北講演，不幸因講堂屋頂上水泥塌落而被壓重傷。所以在畢業典禮的那天，錢先生還在台中休養，無法趕回來主持。錢先生去台灣，一方面固然是為了做學術演講，但另一方面則是因為當時新亞的處境太過於艱困，希望可以爭取一點香港以外地區的教育和文化界的支持。

我敘述這一段往事，是為了給新亞的今昔做一個鮮明的對比。從物質條件和學校規模來說，這二十二年來，新亞的面貌已經發生了根本的變化。那麼，新亞在精神方面是不是也有今昔之別呢？這個問題很不容易回答，主要得看我們怎樣去理解「精神」兩個字。多少年來我們常常談到所謂「新亞精神」。但是究竟什麼是「新亞精神」，恐怕今天沒有人能夠下一個權威性的界說。我回到新亞已經一年。在這一年中，我從來沒有正式宣揚過「新亞精神」。我之所以對這個大問題保持緘默，並不表示我對「新亞精神」已失去信仰，而是因為我需要有一段時間來觀察和反省，看看經歷了二十多年的時間，「新亞精神」究竟還存不存在？如果存在的話，又發生過什麼變化沒有？現在我願意趁這個機會來談一談我個人在過去一年中觀察和反省的結果。

答案先說：「新亞精神」仍然存在，但是確已起了深微的變化。根據我的理解，精神具有變與不變的兩個方面：就精神所寄託的具體內容說，精神是受外在環境和物質條件限制的。因此環境與條件的變化必然會引起精神內容的變化。但是就精神自身的方向說，則精神又是不變的。如果方向變了，則表示這種精神已為另一截然不同的精神所代替，而無復本來面目了。

我肯定「新亞精神」仍然存在，是因為我們的基本方向並未改變。我認為「新亞精神」已發生了深微的變化，是因為我們今天所面對的外在環境和物質條件已與新亞初創時完全不同了。

二十二年前，我在第一屆畢業同學〈臨別的話〉中說道：「我們的師長們，為了一種高尚的文化目的，在香港創辦了新亞書院；而我們同學們也是為了要瞭解祖國的文化歷史以及未來的人類前途，而踏入了新亞的校門。」「瞭解祖國的文化歷史和人類前途」，這是我自己在畢業的時候所認識的「新亞精神」的基本方向。二十二年後的今天，我相信這仍是新亞師生所共同堅持的方向。新亞書院自始便不是一間普通的現代教育機構，她有自己獨特的立場。這個立場，簡單地說，便是一切從中國出發而又歸結到中國。更重要地，我們所謂的中國並不限於政治學上的狹義的國家觀念，我們強調的是那個內容豐富、源遠流長的文化的中國。我們從中國出發，因此我們認知的對象便不能限於中國或限於過去；一切有助於中國現代化的新思想和新學術都在我們尋求的範圍之內。我們歸結到中國，因此我們的治學便不致流為「遊騎無歸」或「智性遊戲」。二十多年前新亞師生一方面探討中國文化的基本價值，而另一方面又關懷世界文化的新生，這便明確地指出了「新亞精神」的方向。而這個方向，在今天則是更清楚地呈現在我們的眼前。

但是「新亞精神」的方向雖然未變，「新亞精神」所寄託的具體內容則已迥異往昔。舉其最顯著者，至少有以下三點：第一，新亞校歌裡所說的「亂離」、「流浪」、「艱險」、「困乏」，的確反映了創校初期新亞師生對當時的外在環境和物質條件的真實感受。就這一點說，今天的新亞已大不相同。現在我們在香港這個環境中基本上已安定了下來，在物質方面也已脫離了困境。第二，早期新亞祇有四個學系，而且重心是偏在人文方面；現在我們已發展到三個學院，十幾個學系，包括文、理、法、商各種基本學科。第三，新亞創立之初，師生一共不過二、三十人，而今天我們師生的總數已在一千人以上。

這些顯而易見的巨大變化無可諱言地會影響到、並且已不斷地在影響著「新亞精神」的發展。「安定」和「免於匱乏」自然是正面的價值，但也帶來了副作用：即沖淡了開創時代的憂患意識。課程範圍的擴張是近代大學教育的應有之義，但院系的不斷增添則難免要造成門戶之見，加深隔膜之情，使得原始新亞精神中「殊途同歸」、「百慮一致」的企求愈來愈高不可攀。師生人數的膨脹更是新亞教育事業蒸蒸日上的一個明證，然而仍然不是沒有代價的。最明顯的是早期那種和睦的「家庭」氣氛逐漸為一種組織化、制度化的「客觀」關係所代替。

我們對於上面所列舉的各種變化不必有太多的感慨。這些變化可以說是新亞發展所必經的過程。我們不能存「眼前無路想回頭」之念；因為前面的路需要我們不斷地開闢，而回頭才真是沒有路。問題在我們怎樣能夠一方面認清今日新亞的客觀處境，而另一方面又不迷失「新亞精神」的方向。祇有認清新的客觀的處境，我們才能夠對新亞精神做一種適當的內在調整，使它可以循著原來的方向穩步前進。

照我以上的分析，今天新亞具有三個主要的客觀條件，這三個條件可以概括地稱之為「環境安定化」、「學術分工化」和「關係制度化」。「安定」可以使我們沉潛，「學術分工」可以使我們樹立多元的文化價值觀，而「制度化」則可以使我們在對人對事方面發展出一種客觀冷靜的態度。這樣，我們便把客觀的物質條件轉化為主觀的精神條件了。通過這一轉化，「新亞精神」的方向也就重新得到了保證。照我所瞭解的「新亞精神」的方向，首先是在「瞭解祖國的文化歷史和人類的前途」。在這一艱苦的認知過程中，我們所需要的精神原素正是「沉潛」、「客觀冷靜」和「多元價值觀」。

新亞的校訓是「誠明」兩字。「誠」屬於道德的範疇，「明」屬於知識的範疇。在中國的傳統思想中，誠與明是互為前提的，其間本無先後輕重可說。但新亞是一個教育機構。《中庸》上說：「自明誠，謂之教。」所以從教育的觀點說，我們的功能首在能「明」。用近代的話來解釋，「明」就是追求真理——包括人文、自然、社會各方面的真理。但人不是離開時空的抽象存在。新亞是中國人的學校，因此我們在這裡追求真理，同時又必須是一切從中國出發而最後又歸結到中國。這裡面則包含著一種崇高的道德精神，即我們的校訓中所謂之「誠」。

早期「新亞精神」所遭遇到的最大障礙是物質上的「艱險」和「困乏」，這祇是王陽明所謂的「山中賊」。相反地，今天「新亞精神」的最可怕的敵人是因環境安定而產生的懈怠和麻痺，但這則是王陽明所謂的「心中賊」。「破山中賊易，破心中賊難」，我們應該三復這位提倡「知行合一」的思想家之言！

致《南北極》函[1]

編者先生：

上次承先生枉顧，很不敢當。當時先生說，袁倫仁先生介紹先生來訪我一談中

1 編按：本文刊於《南北極》第五十六期（一九七五年一月），題名原為「余英時先生來信」。因《南北極》第五十五期（一九七四年十二月）刊出了一篇〈中文大學的「死結」？——訪中大新亞書院院長余英時談「改制」問題〉，以及另一篇〈中大新亞書院院長余英時訪問記摘要〉，本文即為作者對該次訪問的回應。

大改制問題。先生又說來訪的用意是希望瞭解一點背景，以便寫一篇關於「中文大學的死結」的文字，我和先生是初次見面，但是袁倫仁先生是我很尊敬的前輩，我覺得先生既然如此慎重地搜集各方面的材料來對香港的教育問題表示意見，其態度是十分嚴肅的。因此在我們近一個小時的談話，我便很坦誠解答了先生所提出的某些問題，並舉例加以說明。當時先生不曾說是來「訪問」我，也不曾說明我們的談話將刊登在《南北極》上面，而且我也未見先生攜有錄音機設備，因此我在談話時就沒有覺得需要防備什麼。我在國外住得太久了，對香港的新聞界情況也十分隔膜。……昨天收到《南北極》，拜讀了先生的大作，使我十分意外，更萬分不安。先生在文末附載了「訪問」我的節錄，這是我完全沒有預料到的。記錄的內容和我們談話的範圍大體上相近，但個別事實上的出入終究是不可免的，語氣輕重之間更不能一一盡符當時之真。我現在不想做任何更正，因為一切更正祇有使本來已十分複雜的情況變得更為複雜。我現在祇希望先生把我這一封短信在《南北極》的下一期上刊布出來，使讀者對這次「訪問」的經過有一個正確的瞭解。我相信我有權利要求《南北極》這樣做，我更相信《南北極》也應該有雅量答應我的要求。

順頌

編祺

余英時

一九七四年十二月十九日

我對於新亞校友會的期望

隆觀易在他的《甯靈銷食錄》中評陸放翁的詩說：「如梨園演劇，裝抹日異，細看多是舊人。」這個評論對放翁而言是否公允是另一問題，但是兩年來參加新亞校友會的工作卻時時使我想起這一段生動的文學批評。我們的校友會已成立了二十一年之久，然而，年復一年，積極參與校友會活動的校友們似乎多是一批「舊人」，並且毋須乎「細看」。起初我對於這個奇怪的現象頗為不解，甚至不免誤會校友會的努力不足。兩年來我擔任了校友會主席的名義，出席很多次校友的集會，才使我明白此時此地想要全面地推動校友會工作幾乎是不可能的事，其中實存在著種種未易克服的主觀和客觀上的困難。

困難儘管困難，校友會終不宜長期地停留在「梨園演劇」的階段；而推動校友會的工作仍必須從現有的校友會組織開始。所以本屆校友會已決定做幾件基本工作：第一是編好一份盡可能完整的歷屆校友名錄；第二是出版「校友會小叢書」；第三是印行《校友通訊》。第一項工作已由劉之仁校友初步整理了出來；第二項的具體成績是本校創辦人錢賓四先生《八十憶雙親》的問世；第三項便是這一期《新亞生活》所附刊的《校友通訊》。順便說一句話，《校友通訊》目前附刊於《新亞生活》內是一種不得已的暫時措施。以後校友會財力人力都充實的時候，我們希望能定期出版一份《新亞校友通訊》；以連絡本港及分散在海外各地的新亞校友。

我個人認為，新亞校友會的當務之急是擴大它的會員基礎。目前所謂「積極會員」（active members）似仍以桂林街及晨圃道初期的畢業同學為主體。在我們已往兩年的經驗中，我似乎沒有遇見過一個新亞參加中文大學以後的「積極校友」。這中間是不是有一道無形的鴻溝呢？我深信新亞校友會是一個敞開大門的組織，我誠懇地呼籲後期畢業的校友踴躍地參加校友會。沒有新血的不斷加入，新亞校友會是絕無前途和意義的！

最後我們要問，校友會究竟能為新亞做些什麼？這個問題自然不容易回答。就西方尤其是美國的一般情形來看，校友會除了大量地為母校募捐各項經費外，同時也從多方面來幫助母校的發展與改進。例如校長的遴選、教學方向的抉擇，以及如何爭取優秀新生等，校友會都多少可以表示意見，而這些意見也頗受校方的尊重。到目前為止，新亞校友尚無法在經濟方面為母校做有力的後盾。但是新亞仍處在不斷的演進擴展之中，學校所最需要的不是物質的支援，而是新的觀念、新的價值、新的精神。在這些方面校友們可以貢獻之處正多。也正因如此，校友會才特別歡迎後期的校友大批地加入我們的行列。時代進步得快，在學術思想方面，往往相差四、五年便已是一代之隔。校友會如果不能經常吸收新畢業的同學，它又從何處去覓取觀念、價值和精神方面的新生因子呢？

文化的大流是奔躍不息而又日新月異的。新亞的學術教育事業如果真有其正面的意義，將來必可成為這一大流中的一涓一滴；並且也祇有成為此大流中之一涓一滴，新亞書院始有其存在的理由。中國歷史上曾先後出現過無數的書院，它們在文化史上地位的高下是完全由成就之大小或有無來決定的。但是無論其中某些書院的成就如何卓越，最後終是要匯入中國文化的大流之中。因此我們今天仍祇說「中國文化」，而不說「白鹿洞文化」或「東林文化」。我們此時此地之所以要推動新亞校友會的工作，並希望通過校友會來幫助新亞書院的發展，並不是由於我們抱著任何狹隘的門戶之見、派別之私。我們都是以偶然的機緣先後在新亞完成了我們學業上的一個重要階段。我們畢業後依然懷念新亞、愛護新亞，是因為我們深信新亞所倡導的以傳統文化為重心的學術教育宗旨正是此下中國文化新生所迫切需要的。所以，在結束這篇短文之際，我願意強調一句，我們雖然應盡全力來推動新亞校友會的擴展，我們卻絕無任何意圖要發展小組織以強化與學術文化並無必然關聯的門戶觀念。

一九七五年五月十三日

事上磨鍊
——新亞書院二十四屆畢業典禮致詞

我今天代表新亞書院來主持第二十四屆的畢業典禮，內心的感受比去年第二十三屆時遠為複雜。這感受中包含了欣悅，但同時也不免滲雜著一些歉疚的成分。欣悅，是因為我又親眼看見一大批新亞同學完成了大學的旅程，從四面八方走到社會上去貢獻自己的力量；歉疚，則是因為我個人覺得在這兩年之中我沒有盡到校長的責任，未能爭取更多的時間，和應屆畢業的同學們做廣泛的接觸。而更使我感到不安的是我已無法彌補已往的疏失，因為隨著諸位畢業之後，我的任期即滿，也要離開新亞校長的崗位了。換一句話說，我這個校長今年是要和各位同學同時「畢業」、告別新亞了。

新亞畢業的同學一向都有很好的成績，他們不但符合、而且往往超過本校的畢業標準。但是校長「畢業」有沒有最低的成績標準呢？我想也是有的。依我個人的主觀看法，新亞的校長至少應該做到孔子所說的「老者安之，朋友信之，少者懷之」三點。我用這三個標準來嚴格地衡量我兩年來的工作成績，我必須承認，我的每一門課業都是在及格的分數之下。所以認真地講，我也不能說我和諸位同學一齊「畢業」了，我不過是「依章退學」罷了。我之所以門門功課都不及格，一方面固然可以諉之於功課的繁重，但是最重要的，還是由於我個人才弱德薄，不能達成新亞師友以至同學們當初所責望於我者。我記得我在接受新亞校長的聘約時，曾給本校的李董事長祖法先生寫過一封信，我在信中曾說，我願意以當年「取之於新亞者還之於新亞」；我並且引用了「長者之智、少者之決」一句古語來表達我所嚮往的一種兩代之間的合作理想。今天當我將要和新亞告別之際，這些話徒然增加我內心的愧怍，使我不能不做深切的反省。我現在清楚地省悟到，我忽略了一個極端重要的事實，那便是這二十多年來新亞的巨大進步。我「取之於新亞者」的新亞是「亂離中、流浪裡」的新亞，其規模局面尚在草創的階段；而我所欲「還之於新亞」者的新亞，從一種觀點看，居然已是一個十分完備的 liberal arts college了。更重要的，桂林街時代的新亞不過是一個「困乏」、「艱險」的私立學校，而沙田時代的新亞則已是經費充足的香港中文大學的成員書院之一了。我當年所取之於新亞者，其不足以應付今日之新局面，正猶之乎茅茨土堦之道不足以適用於太空時代的社會一樣。至於我竟以為自己的「少者之決」可以配合「長者之智」，那自然祇是一個未經「事上磨鍊」的書生的一時妄見，更不足深論。

談到「事上磨鍊」，這正是我今天想奉贈給諸位畢業同學的一個主要觀念。中國文化一向以理論和實踐並重，《論語》上開頭第一句「學而時習之」，便是要我們隨時隨地以實踐來結合著理論知識。王陽明提倡「知行合一」，因此特別強調「事上磨鍊」的重要。他正是怕他的「致良知」之教流為虛談。理想地說，理論與實踐最好是如影隨形，永遠結合在一起。但是由於人類知識的日積月累與學術分工的越來越細，我們學習理論或書本知識的時間也無法不隨之而延長。在現代教育制度下，一個人從小學、中學、到大學，先後要花費十五、六年的歲月來從事於知識的追尋。在這一長時期內，我們的生活基本上是脫離了實踐的。而且，無論學校或師長們如何在課程方面強調理論結合實踐，事實上，我們所獲得的知識終不免是偏向理論，而遠於實踐。換句話說，在全部就學時代，我們缺少，甚至根本沒有任何

「事上磨鍊」的機會。

今天新亞畢業同學之中，很少數人也許會有機會進入研究院繼續修業，而絕大多數同學都不免要走出書齋，去接受「事上磨鍊」了。今天我們舉行畢業典禮，「畢業」這個字在英文是commencement，而commencement的意義其實是「始業」而非「畢業」。依我看來，所謂「始業」便正是「事上磨鍊」的開始。但是「事上磨鍊」的意義有淺有深。就淺近的意義說，我們離開學校之後，便立刻要面臨如何將已往所學的理論知識、書本知識應用到實際工作中去。書本的知識在未經實際運作的證驗以前仍然是死的知識；祇有變成我們自己的工作能力的一部分時才是活的知識。所以王陽明說：「知而不行，祇是未知！」

「事上磨鍊」的深一層的意義則牽涉到理想和現實之間的平衡。一般地說，大學的環境是最能激發並培養青年們的理想主義的。在中國歷史上，從東漢的太學生清議到「五四」的愛國運動充分地說明了中國大學生從來便有關懷社會、改造現實的雄心壯志。但是這種在特殊環境中所孕育出來的理想主義是不是離校之後仍能終身持之不變呢？這卻不是一個容易答覆的問題了。大學生的理想主義誠然是莊嚴而純潔的，然而由於為學校的環境所限，有理想、有抱負的大學生往往不免過分輕視現實、低估現實，以至於陳義過高，使理想與現實之間完全脫了栓。及至出校以後，認清了現實的真面目，理想遭到了嚴重的挫折，便很容易流入下列兩種反應之一：第一是主觀上依然堅持舊日的理想而客觀上又無法使之對現實發生影響，其結果將是激成一種憤世嫉俗的人生態度；第二是放棄理想，向現實低頭，其結果則將是與世俗社會同流合汙。這兩種結果自然都不可喜，因為完全脫離現實的理想祇是空中樓閣，而完全沒有理想的現實則祇是一團黑漆。我之所以特別提出「事上磨鍊」四個字，因為我相信這是防止上述兩種可能流弊的一劑藥方。

所謂「事上磨鍊」並不是要同學們走進社會後變成「人情練達」、「世事洞明」，那無異是叫你們和現實「同流合汙」。「事上磨鍊」也不完全等於通常所說的「出汙泥而不染」，那祇是舊社會中少數脫離了現實的所謂「高士」的孤芳自賞。白蓮並不真的是「出汙泥而不染」，它是在汙泥中充分地吸收了養料然後才能成就它的潔白。而它之所以能保持並發展它的潔白則由於它有自己的生命。一旦白蓮枯死了，它很快地就會化為池中的汙泥。就這一點來說，理想與現實的關係倒真和白蓮與汙泥的關係非常相似。「事上磨鍊」便正是指著我們的理想不斷地在現實中吸取養料的那個成長的過程而言的。

各位同學，你們從今天起便要開始你們的「事上磨鍊」了。這將是人生最重要的一個新的學習過程的起點。我個人是相信「知先於行」的，因此我希望同學們首先要對現實有真切的認識，然後再從現實中逐步地磨鍊你們的理想，萬不可因小挫而心灰意冷或失去心理的平衡。我深信，祇要你們的理想不褪色，你們的生命便永遠是有光輝的。我在前面曾提到我自己是一個不及格的校長，但是這並不表示這兩年的行政工作對我個人完全是生命的浪費。相反地，我非常感謝新亞董事會給我這一次「事上磨鍊」的機會。我的本業是歷史的研究和教學；自從就業以來，我的「事上磨鍊」也僅限於學術範圍之內。兩年來的校務處理使我對人事的問題有了親切的體會。這對於一個學歷史的人來說，尤其是十分值得珍貴的經驗。十餘年前哈佛大學的美國史教授施萊辛格（Arthur M. Schlesinger, Jr.）一度棄學從政，成為甘迺迪總統的「特別助理」。施氏在離開白宮之後告訴朋友說，三年的白宮經驗使他對歷史運行的實相有了不同的瞭解。新亞校長的職務自然遠不能與白宮的特別助理相比，但是從「事上磨鍊」的觀點說，我個人所獲得的益處相信絕不在施萊辛格之下。我在上面又說過，我在接任之初，忽略了我的舊理想和新亞的新現實之間的距離。我自覺，經過兩年的「磨鍊」，我對於新亞某一部分現實的認識祇是加強了、而不是削弱了我對於新亞理想的堅持。何況從樂觀的方面看，新亞的先生和同學都顯然在不斷地進步之中。一個擁有在學術上日新月異的師生的學校，她的前途必然是光明的！

劉大中先生與新亞書院

大中先生伉儷的逝世，我個人感到特別悲痛，雖然我認識他們兩位為時尚不足十年。我的悲痛主要是起於大中先生最後受聘為香港新亞書院校長這一件事。一九七三至七五年我從哈佛告假回香港母校服務，事先說明是為期兩年。到了一九七四年的八月，新亞書院董事會還沒有能夠物色到校長繼任人選，我當時非常焦急，曾各方面請朋友們設法薦賢。不料在我幾乎已覺絕望之際，邢慕寰先生忽然給了我一個喜出望外的好消息，他已說動了大中先生前來繼任新亞校長的職位。這個消息不但使我個人如釋重負，而且也給整個新亞書院帶來了狂歡和希望。其實，在真正瞭解大中先生的人看來，這件事並不算太意外；因為大中先生晚年一心一意想為中國社會、中國人、中國學術和教育盡一番心力。

大中先生於今年一月間簽字接受了新亞校董會的聘約，同時又趁寒假訪台之便偕同劉夫人亞昭來到香港小住了幾天，藉以瞭解新亞的情況。在這次訪問期間，我天天和大中先生夫婦在一起，一方面敘舊，一方面交換關於新亞的意見。臨行時大中先生說他將於本年八月一日到港就職，我們並約好七月底在台北碰面，商量交接事宜。

大中先生回美後就開始鬧腸胃病，後來他來信說是膽石問題，已經開了刀，但腹痛腹瀉未止，還要繼續檢查。我當時就有一點敏感，曾和朋友們提起過，恐怕病情不甚簡單。朋友們認為我太過慮了。不料到了五月間，我果然從台北得到間接的消息，說他患了癌症。我當時為之震動不已，祇希望這是不可靠的傳聞。但不久我就輾轉獲得一份大中先生親筆給台北友人報告病況的函件複本，才知道他不但患了腸癌，而且已蔓延到了肝部。

五月二十九日我曾寫了封信給大中先生，旁敲側擊地詢問他的近況；因為他沒有直接寫信來告訴我關於癌症的事，我不便冒昧地提到這一點。大中先生於六月八日寫了一封四頁的長信覆我，除了敘述病況外，主要是商討關於新亞校長職位的事。那時他自己還相當樂觀，認為一定可以治好惡疾。但關於新亞職位事他提出了兩個方案，要我們決定其一。他說：

（甲）准弟辭去新亞校長之聘約，弟雖對控制癌疾之信心甚強，但究係已有病之人，工作效率恐將減低。……新亞任務重要，無用一病人之必要。新亞董事會如覺以解除聘約為較宜，弟絕不介意（祇覺歉疚）。

（乙）七月底如此間醫生認為弟之病狀及精力可去港服務，弟仍按原約去港，惟須稍遲一個月左右到差。……新亞為國人以自己能力於艱苦環境中所創立發揚者，故願效棉薄，輔助其繼續發展，前決定去港即為此，現時亦然。

新亞方面當然希望大中先生能治好病來港就職，所以我立刻代表學校打了一封電報給他，請他安心醫治，稍遲到任無妨。但最使我感動的是大中先生雖身罹不治之症而仍念念不忘新亞，不忘為中國人服務，更不肯臨難畏縮，背棄承諾。他在同一信中曾兩度引用「君子一諾，重於泰山」這句話。我現在重讀這八個字，尚感到大中先生那股俠義之氣從紙上躍然而出。

我本來是準備經過台北返美，以便和大中先生聚談一次的。到了六月中旬，大中先生已顯然不能如期東返，我就接受了巴黎第七大學的邀請，在七月中旬到巴黎去訪問法國的漢學界，順便在歐洲各地遊歷了近一個月。八月七日我回到波士頓，第一件事便是和大中先生通電話，詢問病況。最初他的電話總是無人接，一直到八月十日下午，我們才和劉夫人及大中先生通了話。劉夫人的語氣顯得十分平靜，絕無悲痛或慌亂的表示。我們最初有些詫異，事後回想才恍然大悟，原來她的死志已決了。大中先生的語調十分微弱，已全無平時那種意氣風發的味道。我記得他說，他已正式向新亞董事會提出辭職，因為他的癌病已無法阻遏，現在已發展到了肺部。他一面說著一面咳嗽。他又告訴我，西醫對他的病已不能醫治，而且他的體重也祇剩下九十磅左右了。我聽了這些話內心悲痛不勝，然而卻找不出一個字來安慰他。在這種情形下，我又能夠說什麼呢？我們通話的三天之後，他們夫婦便一起開車住進了康奈爾大學附近的「假日旅館」，雙雙服藥自殺了。我最初聽到大中先生一個人的死訊，已奇怪他何以走得這麼快。當晚立即寫了一封唁函給劉夫人，第二天信尚未寄出，又聽到了劉夫人殉夫相偕而去的消息。我的感覺簡直完全麻木了。以後差不多有一個月的時間，我的精神始終不能從這一悲劇的震盪中恢復過來。我時時在想像著他們夫婦在「假日旅館」自殺前的一番心情和景象。大中先生夫婦都雅好平劇，大中先生更是出色當行，但萬萬料不到他們竟是如此戲劇化地結束他們的生命，給人間留下了一幕用至情至性寫出的悲劇！

回想從大中先生去年九月應允接任新亞校長，到今年一月訪港，以至最後去世，總共不足一年的時間。「人世無常」的話我是聽慣了的，但是這一次才真正體驗到這句話的沉痛意味。

最近一個多月來，我自己才慢慢地克服了大中先生遽然逝世所給予我的消極影響。大中先生自己曾說，他一生對學術、對教育、對社會已盡了最大的心力，縱或萬一，已無遺憾。中國古代哲人對生死問題說得最好的還是張橫渠「存，吾順事；沒，吾寧也」那句名言。什麼立功、立德、立言三不朽，還不免把個人生命看得太重要，也不免仍有些俗氣。大中先生夫婦在生死之際的表現則正合乎橫渠所懸的道德標準。大中先生雖未能履新亞書院之任，但在精神上新亞的師生已把他看作是他們的校長，我個人站在新亞校友的立場上也完全覺得他是母校的校長，而且是一位充分體現了中國文化精神的校長。大中先生去年九月三十日給我的信上說：

弟受國家培養卅餘年，而為他人作嫁衣裳者數十年於茲矣，常自內慚。前常願為台灣服務，惟事涉經濟行政，難期其道之必行，亦無貢獻。新亞之學子為我同胞，如有機會稍盡棉薄，自所夙願。

這幾句話最足以表現大中先生「存，吾順事」的精神。我們在海外的後死者都應該時時體味這番話的涵義，而新亞的同學們更應該從這番話裡去認識這位未到職的校長的崇高人格！

一九七五年十月卅一日清晨

大學與中國的現代化
——一個歷史工作者的看法[1]

在中國歷史上，大學一向占有特別重要的地位。傳統的說法，以為夏代已有類似大學的高等學術機構了。但是夏代的存在至今還沒有在考古方面得到證實，所以暫且撇開不說。甲骨文中有「學」字，並且照上下文來看，確是指學校說的。可惜

1 編按：本文原刊於《新亞生活》月刊，並附註本文為「余英時教授在香港中文大學一九七七年十一月三日舉行頒授榮譽學位及各科學位典禮中講詞」。

我們還無法斷定它是怎樣一種學校。我們現在所用的「大學」這個名詞，最早出現在周代的文獻上，那是貴族子弟接受訓練的地方。周代的大學又叫做「辟雍」，金文已經證實了這一點。我們可以肯定地說，中國大學的起源，至少不比古代希臘的柏拉圖學院晚。

不過如果我們用現代大學的特徵作標準，比如說有校址、有教授、有學生、有講堂宿舍、有考試學位；這樣的大學是到漢代才有的，那就是太學。公元前一二四年太學的創立，可以說是中國教育史上一件劃時代的頭等大事。漢代太學最多的時候有三萬多學生，有兩百四十所房子，一千八百五十個房間。這在今天來說，也是一所規模極大的大學了。

從漢末到隋唐，中國分裂了，太學也衰落了。但是在七世紀時唐太宗恢復了太學，中國的大學又有新的發展。唐代的太學和漢代在很多方面都不同。最值得注意的有三點：第一是漢代太學歸太常管，唐代改歸國子監。國子監相當於今天的高等教育部，專門負責教育學術的。而太常在漢代主要是管宗教事務的。這個改變非常有意義，是表示教育學術已脫離宗教而獨立。這一點中國遠走在西方的前面。第二是漢代太學裡面祇偶而有一兩個外國學生，像匈奴的「質子」，唐代是一開頭就有招收外國學生的政策。所以唐代的太學，外國學生特別多，可以說是當時東亞世界中一個國際性的大學。第三是漢代太學祇研究五經，唐代卻擴大到算學和法學，近乎於今天的專門學院。像是Abraham Flexner所說的「現代大學」，在唐代已具體而微了。

宋代是太學的盛世。它的規模大體是依照唐代，但是有新發展。專門學院方面增加了醫學和繪畫。又因為印刷發明了，圖書館遠比從前進步，太學有自己的圖書館，同時國家的圖書館，就是秘書省，也很近。秘書省和國子監關係非常密切，秘書省的藏書很多都是國子監刻印的，就是所謂「監本」。還有一點，宋代太學的校園也是中國歷史上最好的。從設計到監修都是李誡一手負責。李誡是當時的「將作少匠」，專管營造工程。他是中國史上最偉大的建築師之一，留下了《營造法式》一部傑作。

宋代太學的重要性當然不是在設備建築這些物質方面；最要緊的是它後面有一種新的文化精神。從太學一方面看，這種精神表現在對教育學術本身的價值有很清楚的認識，同時又能密切注意到社會的需要。日本學者內藤虎次郎說宋代是中國近代史的開始，這在學術文化方面看尤其有道理。宋代太學前後聘請了許多傑出的教育家，在學生中更造就了無數人才。不但如此，在名教育家胡瑗主持之下，太學的課程分作「經義」和「時務」兩部分，把理論和實踐都照顧到了。這更是教育史上帶有革命性的一番創舉。在「時務」一部分，其中包括當時最重要的邊防和水利灌溉。我們知道，大學研究和國家需要打成一片，這是近幾十年來特別是在美國發展起來的，這是一個嶄新的觀念。僅憑這一點，我們已不難看到中國當時教育思想的進步。

談到宋代的高等教育，我們不能不提及當時新興起的書院。書院是中國所特有的學校，在西方找不到和它相當的制度。在教學方式上，它有點像蘇格拉底式的對話，在注重人格陶冶上，又有些近乎英國的學院制；但又都不一樣。宋代以後，太學衰落，高等教育幾乎完全操在書院手裡，它在中國近世學術的傳播方面，其貢獻是無與倫比的。中國人一向看重「有教無類」的教育思想。但祇有在書院普及以後，這個理想才得到落實。明代泰州學派的社會講學，風靡了全國。泰州學派中有樵夫、陶匠、農夫、商人等等，真可以說把教育傳到了平民大眾的手上了。當然我們知道，唐代太學已偶然雜有工商的子弟，宋代太學生中也有家境極貧寒的，但這些都祇是例外。直到書院出現，中國的高等教育才帶有平民的氣味。

以大學為基地的學生運動，在西方還是一個比較新的現象；比較早的恐怕要算十九世紀的俄國。但是中國大規模的學生運動遠在二世紀就發生了，即東漢太學生和宦官集團的鬥爭。北宋末年太學生的愛國運動先後不下十次之多，其中有一次有軍民十萬人參加，要求政府抗金。今天第三世界許多學生運動都起於捍衛民族的獨立，但在中國，宋代的太學生已經是這樣了。宋代以後，書院代替了太學，所以十七世紀有波瀾壯闊的東林運動，起於無錫的東林書院，傳播到全國。直到今天，東林的風範還對中國知識分子的政治反抗有感召的力量。

我在上面一直強調中國的大學傳統裡有現代的成分。我深信傳統和現代絕不是勢不兩立的；舊社會裡也有些好的東西可以適合新社會的需要。清末教育改革的時候，對新的大學觀念很快地接受了，這也許正是因為中國本來就有這樣的傳統。事實上，在京師大學堂的創立和各省書院的革新剛開始的時候，它們都是很傳統的，仍然是太學和書院的舊格局。但不久之後，這些學校便變成新思想的根據地了；京師大學堂，即後來的北京大學，尤其起了極大的作用。

「五四」時代的北京大學是思想革命的大本營，這是一場極端反傳統的思想革命。但革命的後面還是有傳統的力量在暗暗發生作用。思想革命發源在大學裡便多少有些傳統的背景，因為宋、明的書院便一直是新思想發展的源頭。西方近代最大的思想革命是十八世紀法國的啟蒙運動；可是當時的法國思想家便顯然和大學沒有關聯。再以學生的愛國運動來說，宋代的前例更不可忽視。我們不能說，「五四」以來的學生運動全是從西方學來的。

但是我雖然讚美中國舊有的大學傳統，卻毫無主張復古的意思。大學不是超時間的，它一方面是時間的產物，一方面也會影響現在和未來。我們應該看重的正是現在和未來，而不是過去。

在中國來說，所謂現代大學和傳統大學最大不同之處便是對於知識的態度。太學和書院都是傳統的大學，它們經常受到政府的干涉和思想的控制，王安石變法和明初，大學便因為思想的控制而遭到困難；張居正封禁全國書院更是政府干涉的鐵證。在這種情形之下，學校沒有學術自主，知識的成長是很困難的。傳統的大學當然也注重知識，但它們最關心的還是怎樣保存舊知識，而不是尋求新知識。在傳統的價值系統裡，知識沒有獨立的地位。

一九一七年蔡元培就任北大校長的演說，首先就強調大學是研究高深學問的地方；接著又要學生在追求學問時，不能先存任何學問以外的動機。這是一個現代的新觀念，北大的現代化便是這樣開始的。

照今天多數教育家的意見，現代大學有三個重要使命：一是教學、二是研究、三是為社會服務。三者缺一不可。以前康乃爾大學校長James A. Perkins在一九六五年指出，知識也有三個屬性；剛好和大學使命相合，那就是知識的求取、傳授和應用。這樣看來，現代大學是和知識完全融化成一體的。事實上，因為現代生活越來越專業化，知識已成為大學的專利品了。十九世紀以前西方的科學和學術還在業餘研究者的手中，今天這已辦不到了；中國傳統的餘暇治學的觀念，現在也行不通了。自然科學、社會科學、人文科學，都是大學的事了。這和現代知識的本質有關。研究工作今天需要大規模的圖書館和實驗室，有時更需要科際合作，這些都要靠現代大學來供給才能辦到。

今天的世界充滿了敵對和危機，所有國家的生存都得依賴現代知識。對於所謂「落後的」國家和「開發中的」國家而言，更是如此。而根據上面所說的現代知識的性質，我們無法想像現代化可以離得開現代大學。

發展現代大學，說起來容易，做起來困難。光靠設備是不夠的，我們的想法也需要調整。知識的本質是祇有在一個具備了相對的學術自主和自由的環境裡才能成長。我說「相對的」，因為我並不相信在任何社會裡可以有絕對的學術自主和自由。我甚至可以承認，每一個國家和社會都有責任，根據需要，為它的學術機構制定發展的方向，但是一般性的指導和業務上的干涉之間有基本的不同。現代大學如果經常受到外來力量的直接插手，它就失去了學術的自主和自由，這樣一來，知識就不能生長了。

最後，我願意說明，儘管我強調知識在現代生活中的重要性，我絕無意把知識的價值提高在一切其他價值之上；儘管我主張相對的學術的自主和自由，我絕無意提倡大學是「象牙之塔」的舊觀念。祇要我們能在大學裡保持教學、研究和服務之間的平衡，保持知識的求取、傳授和應用之間的平衡，我們向現代化航行的學術途程是安全的。六十年前懷悌海（Alfred North Whitehead）警告過：「在現代生活的條件下，有一條鐵則：任何民族，如果不尊重經過訓練的才智，那是注定無法生存的。」這話今天讀起來使人不寒而慄。我們試想想，除了現代大學之外，還有什麼更好的地方可以訓練才智呢？

中國的大學傳統有它非常輝煌的歷史。在中國現代化的初期，這個傳統曾起過接引的作用。我們希望它將來還能繼續發揮它的潛力！

附錄一

《中國學生周報》社論

負起時代責任！

——《中國學生周報》創刊詞

人類文明正面臨著空前的危機，中國文化已遭受到徹底的破壞；我們這一代的青年學生面對著這股歷史的逆流，實在無法再緘默了。

「五四」以來，中國學生對於國家確已貢獻了不少的力量；曾以高度的熱情，天真的嚮往，純潔的動機，力求國家的復興。但是，這些都失敗了，這些不僅未能主動地解決了中國的問題，反而被野心政客利用作政治工具，間接地助長了中國的苦難。

我們今日痛定思痛，追根究源，不能不承認是因為我們的熱情過分衝動，沒有經過理智的疏導；我們的嚮往過分天真，不能明辨善惡真偽；我們的動機雖然純潔，但未能掌握原則，堅持到底；以致目前的現實與理想脫節，甚至背道而馳。

經過最近的這次巨創以後，有的同學消沉了，退縮到個人的小天地裡，悲觀、苦悶、頹喪；顯然，這都不是聰明的辦法，祇有毀滅了自己，斲喪了國家的生命活力。我們必須再接再厲，對時代負起責任。

我們能眼看著自己的國家這樣沉淪下去嗎？

我們能讓中國的歷史悲劇這樣延續下去嗎？

基於這些想法，我們才鼓起勇氣，在極艱苦的條件下，出版了這份刊物——《中國學生周報》。

《中國學生周報》是屬於我們學生自己所有，是由我們學生自己主辦，是為海內外全體中國學生而服務的。因此我們可以不受任何黨派的干擾，不為任何政客所利用。在這裡，我們可以暢所欲言，以獨立自主的姿態，討論我們的一切問題；從娛樂到藝術，從學識到文化，從思想到生活，都是我們研究和寫作的對象。祇有在這種自由的園地裡，才可以充分表現我們的意志，才可以充分闡揚我們的理想，才可以充分發揮我們的智慧，並且使我們與各國學生之間得到充分的瞭解與情誼，進而溝通中西文化，替未來的中國摸索出一條正確的出路來！

中華民國四十一年七月二十五日

為爭取學術自由而奮鬥！

本月二十四日下午，香港大學賴德副校長在聯青社的敘餐會演講關於大學的問題。賴氏認為大學必須有自由思想與獨立精神，絕不應容外在勢力之控制。此時此地，賴氏的警語的確是值得我們熱烈喝采的。

賴氏是在具有數百年的學術自由傳統的西方社會中培育出來的英國人，因此，他之維護思想自由與教育獨立，顯然是很自然的。然而，今天我們中國學生聽了賴氏這一番話，卻不禁感慨系之！「五四」以來，學術自由是我們所一直追求的偉大目標之一，撇開近三十餘年來的中國政治、社會種種方面不談，僅就學術自由這一點而言，大體上總還說得過去。但今天一切都改變了，極目中國大陸，是一片黑茫茫的統制思想、黨化教育的悲慘景象。我們幾十年辛勤培育出來的一點學術自由的幼苗，已遭到了徹底的摧毀；無數學人正在被迫而「改造思想」，千千萬天真純潔的同學，正在不知不覺地被灌輸著可怕的毒素。自由的黯淡、文化的劫難、人類的危機，從未有過於今日者！

賴德先生曾指出大學的三大作用：一、保存人類從最初歷史相緣以來所積聚之學術；二、輾轉以此種學術相傳；三、加以發揚光大。但是在極權統治下的大學，不僅不可能具有此種崇高的性質，反而成為極權統治者的政治工具。因此，為了延續並發揚人類的文明，我們必須再接再厲，為爭取學術自由、教育獨立而奮鬥！

最後，讓我們堅決地堅定賴德先生的信念：「凡獨裁者企圖向每間大學施用壓力控制，欲使成立獨裁機構其結果必遭失敗無疑！」

中華民國四十一年八月一日

回國升學有前途嗎？

中共現在正在香港展開了「學生回國升學」的運動，有的同學已經去了，有的正抱著一腔熱望準備踏上歸程，有的則還在徬徨未決。這關係我們自己的切身利害，實有詳加考慮的必要。

大家都知道，中共是堅決反對所謂「純技術觀點」的，那就是說一切學術都必須服從政治，是政治的工具，所以你如果想回國去學習一套純粹的科學技能，根本就是妄想，此其一；第二、你如果是研究社會科學的，那麼，國內除了馬列主義而外，別無其他學術，所以這更是一條走不通的路；第三、鐵幕之內是絕對沒有文化自由的，中共除了向落後的蘇聯和東歐的衛星國家「學習」到一點「科學」之外，其他非共產國家的科學，無論是怎樣進步，都被誣為「反動的學術」而嚴禁輸入。因之，即使它容許你自由研究，而你所獲得的知識也是少得可憐的。僅從這三點來衡量，我們已沒有任何理由可以相信，「回國升學」會有什麼前途可言。何況中共對青年學生的摧殘尚絕不止此呢！

中共加入韓戰以來，中國青年死亡於戰場者不可數計。故近年來中共曾不惜用種種威迫利誘的方法，逼使青年學生參軍。此外，無論中共要發動什麼運動，如土改、抗美援朝、五反……等等，全國同學們也都得聽它的指揮，為它盡義務；如果再加上開會、遊行、扭秧歌等各種把戲，我們實不能想像還有什麼時間可以作讀書研究之用。

一句話，中共根本沒有把教育當作為國家民族建樹人才的萬世基業，不過是為了維持其一己的政權而利用青年、蹂躪青年罷了。因此，最後我們不得不以十二萬分誠懇的心情忠告海外的同學們，如果你們抱著研究學問的目的而「回國升學」的話，你們將來所獲得的結果，一定是意想不到的悲慘！

中華民國四十一年八月十五日

我們要求擇業自由

暑假期間，大陸上各大中學的畢業同學們正陷入一種無法自拔的煩惱；這種煩惱不是感受畢業即失業的威脅，而是因為徹底地喪失了擇業的自由！

從表面上看來，今天大陸上的畢業同學們是沒有失業的問題了，這是一種可喜的現象。但是，揭開了宣傳的外衣，讓我們認真地看一看各學校畢業同學的就業真象，就會令人感到非常的失望和憤慨。

自從中共硬性規定了「各大中學畢業學生統一分配工作」的辦法以後，大陸上的同學們便完全犧牲了個人的意志，一切都要配合政府的需要，服從「組織」的分派。「組織」要你去東，就須去東；「組織」要你去西，就須去西；「政府」要抗美援朝，就須要放下書本，穿上軍裝，跑上韓國戰場；「政府」要土地改革，就須馬上停課，回到鄉村，幫助共幹們殺人放火。不管你是學理工的，或是學文法的，今天為了「國家」的需要，一切專長、理想、抱負、興趣統統都要拋掉，一心一意地聽任「組織」的擺布。

如果你不甘心為共產黨做奴隸、做炮灰，而想依照個人的興趣、理想和專長去自由選擇職業的話，那就是反抗「政府」的命令，「政府」的恩惠永遠不會照顧到你，失業、飢餓、死亡的暗影便永遠籠罩著你。最近大陸各城市舉行「失業知識分子登記」時，就把不服從統一分配的同學和「流亡地主」、「受管制的反革命分子」一樣看待，不准登記，便是證其用心之狠毒。

在這種情形之下，就業的問題雖然解決了。但是，同學們被分配的工作，並不是自己所願做的工作；被逼迫而貢獻的力量，並不能符合於真正人民的需要。不錯，每個同學在畢業以後，都抱著萬丈雄心，要把自己的所學貢獻給國家社會；但是，我們絕不肯盲目地聽受少數極權者的擺弄，去做他們的統治工具。我們雖然要求全面的充分就業；但是，我們更要求合理的擇業自由！

中華民國四十一年八月一日

香港教育的特殊責任！

日前港大教授皮理斯尼評論香港教育，他認為香港的地位獨特，必須實行中英文化混合的教育，始能適合這個特殊地區的需要。在原則上，我們絕對贊同皮氏的主張，這裡，我們願就此一問題略抒所見。

正如皮教授所說：「中國大陸現已操於共黨之手……實難有深造的機會。」千千萬萬的中國學生，目前都被桎梏於共產主義的教條教育之下。中國學生尚能呼吸到一點思想自由空氣的地方，除台灣之外，就祇有香港了。在過去，香港的教育是無關緊要的，因為同學們可以自由到英國或中國去接受他們所選擇的教育，現在回國升學既已「難有深造的機會」，同學們如想瞭解祖國的文化歷史，也還祇有香港最為方便。但是，很不客氣地說，香港教育對中西文化的介紹實在是貧乏得很。自由教育和民族文化是共產主義的最大敵人，這說明中共何以要不遺餘力地剷除大陸上一切中國傳統文化和西方民主思想的根苗。因此，從教育上著眼，香港所負的責任便極為重要了。皮教授說，香港為「介紹英國與西方思想至中國之中心，同時亦為介紹中國思想至西方之中心」，這話在今天是具有深長意味的。大多數的中國同學已失去接觸中西文化的機會，而在鐵幕邊緣的我們卻還保有這最後的自由文化的堡壘，這該多麼值得珍貴呢！

因此，我們很誠懇地希望香港教育當局能多使同學們瞭解一些中西文化的大問題，這不僅是防止同學們「回國升學」的最可靠辦法，而且也是抵抗共產主義毒化思想的最有效的藥劑。僅僅教給同學們一些中文、英文、實用科學等等工具的知識，是絕對不足以適應香港教育的特殊需要的！

中華民國四十一年八月二十二日

我們對孔子的態度

二千五百零三年的孔子誕辰已經過了。香港、台灣都有著很熱烈的慶祝。在中國文化備受摧殘的今天，尊重孔子自然有其重大的意義，我們青年學生也願意趁著這個機會，在這裡表示一下我們對孔子的態度。

在中國的學術思想史上，孔子當然是具有開天闢地的大功的，他把歷代相傳的官學解放為百家爭鳴的私學，中國學術之從貴族的轉為平民的，實不得不歸功於孔子之賜。此外，在社會倫理方面，孔子也建立了幾個不朽的原則。他所極力倡導的「仁愛」、「忠恕」之道，二千餘年來影響於中國人民的心理者，至大且鉅。正是因為孔子對中國文化有這些貢獻，我們才尊敬他的，正如我們尊敬其他對中國文化有貢獻的哲人一樣。

然而問題發生了。「五四」時代我們是極力「打倒孔家店」、反對孔子的，難道我們那時錯了嗎？還是我們現在背叛了新文化的傳統精神呢？這兩個答案顯然都是錯誤的。我們那時所反對的乃是歷代統治者假孔子之名行專制之實的「孔道」，假忠孝仁愛之名行男盜女娼之實的「儒教」。這樣阻礙人類進步的「孔子」還不該予以反對嗎？而現在我們所尊敬的孔子卻是本來面目的孔丘先生。孔子也祇是一個平凡的人，他沒有什麼神秘之處；他的話中有許多真理，也有一些錯誤，正惟如此，才更顯得他的偉大。

我們的衡量標準是什麼呢？是歷史：我們因為孔子對中國的歷史文化有貢獻而尊敬他；也因為歷史文化是日新月異的，而不能完全接受他的思想。總之無論是尊崇還是反對孔子，我們都是為了要使中國文化向前邁進，而不是向後退縮。因此，對於那些復古先生們的「尊孔」，我們是不敢苟同的。這不僅是因為我們要社會進步，他們想社會後退；而且，根本上，我們所尊崇的便是兩個截然不同的孔子！

中華民國四十一年八月二十九日

記者節的意義

九月一日是記者節，在文化界上，這的確是一件大事。紀念「記者節」，我們通常便想到新聞自由；是的，由於極權主義越來越囂張，新聞的自由也就日益成為嚴重的問題了。在西方民主國家中，新聞自由是絕對受到維護與尊重的。新聞工作者可以本其所見所聞而振筆直書，讀者也可以在若干種相互歧異的報導之中，憑著他自己的判斷，而研究事態的真相。在這裡，容忍、個體獨立、誠實等等民主精神的要素都統統表現出來了。

西方新聞自由的建立，並不是一朝一夕之事；也非哪一方面單獨努力的結果。從縱的方面看，我們可以上溯到十四世紀的文藝復興和十六世紀的宗教革命；從橫的方面看，它是西方人民在政治、文化各方面爭取民主的成果。目前的中國既已落於中共極權統治之手，各方面的民主之路都已被完全堵塞了，新聞統制的嚴密也到了登峰造極的程度；顯然，我們現在若僅僅空談自由，尤其是空談新聞自由，是絕對沒有力量的。新聞自由沒有社會民主和文化自由作基礎，根本不可能孤獨存在。過去中國新聞自由雖未能獲得長足的進展，但幼苗確然還有；隨著極權政治的抬頭，這一點點幼苗也就徹底遭扼殺了。這實已足夠說明新聞自由的根基何在。

文化自由是最值得珍貴的，因為它是人類六千年文明的結晶。然而，如何才能爭取並維護它呢？除了我們以最大的努力促成社會的全面民主之外，別無他路可走。

瞭解了這一點，我們紀念記者節才會有真實的意義！

中華民國四十一年九月五日

邁向新文學的坦途

新文學運動在中國已有三十餘年的歷史了，可是奇怪得很，新文學之風對於香港的同學們似乎始終有著一層隔膜。有人說香港同學在某些方面依然停留在「五四」時代的水平上，這話雖稍嫌過火，但確也有些道理。這責任當然不在同學們本身，香港的教育政策實無法辭其咎的。

香港的國文教材大半取自古文，從小學到大學，我們受古文的薰陶太深了。而同學們所以能寫寫白話文則完全是受益於課外的自修。

當然，自然的吸收是遠不及強行灌輸來得深刻有力。有些學校的老教師至今還拿出私塾的教學方法來教育同學，這真是可悲的錯誤。白話與文言的論戰早已結束了，白話文是現代中國文學的潮流所趨，也已成歷史的定案了，在這裡，我們實在沒有必要，再舉出任何理由以證明古文之非與白話文之是。除非我們蒙起自己眼睛，不看外面的世界，以為中國還是一百年前的中國！

香港學校的國文教學是古舊的，但報章雜誌都早已徹底白話化了，這也是同學們的新文學的重要泉源之一。然而，報章雜誌對新文學的鼓吹依然是消極的和被動的；我們沒有看到誰曾積極地努力，以促使同學們早日邁向新文學的正途。這也不能不說是美中不足。

此次本報舉辦的獎學金徵文，其主要目的之一，便是促進同學們對新文學的更深的認識和愛好。因此，我們很誠懇地希望同學們能藉此機會在文學上向前邁進一步！「大江流日夜」，舊形式是無法容納新內容的，更不足以遏止新思潮的興起。

同學們，讓我們快點剷除這舊文學的殘餘堡壘；更廣闊的新文學天地，就在我們的眼前！

中華民國四十一年九月十二日

寫在開學之始

秋高氣爽，又是開學的時候了，有的同學升學了，有的同學剛剛踏上學業的途程，絕大多數的同學都升了學，總之，同學們開始了讀書生活的新頁，這總是值得慶幸的事！尤其是在這樣兵荒馬亂的時代裡，我們還能夠安心地讀書，更是太可珍貴了。

在一個新的學期開始時，不少同學或許都會反省一下，我是否真的在學識上和人生的體驗上都跨進了一步呢？是否對得起父兄師長的愛護和教誨呢？如果我們對這些問題的答案都是否定的話，那麼我們便不能不深深地懺悔了。我們生長在動盪不已的世界上，現實的一切誠然影響到我們，而香港又是一個最不適於青年學生居住的所在。然而，這一切都不是解釋我們不勤學的充足理由，我們不肯好好讀書，歸根到底，還是由於不瞭解當前中國的危機和我們自己的責任。中國的文化正面臨著毀滅的邊緣，民族正遭遇著被征服的命運，祖國復興的希望和擔子都架在我們的肩頭。法國名小說家都德的〈最後一課〉便描寫一個頑皮的小學生，在亡國的那一剎那間怎樣懺悔著過去的歲月。我們今天的處境正和這個故事的主角差不多，但我們卻仍未能和他一樣的痛自譴責，這該有多麼的慚愧呢！

人生誰也難免有錯，錯並不嚴重，問題祇在我們肯不肯改。茲當開學伊始，我們盼望同學們都能徹底地反省自己、檢討自己。「國家興亡，匹夫有責」，復興中國之路是漫長而艱險的，但我們無論如何都得挑起擔子走下去！

中華民國四十一年九月十九日

走向平民化的教育！

據近日報載，本港高等教育委員會提出了歷史性的教育改革方案，其中共有兩個重點：一是提倡中國的學術文化，包括建議設立遠東文化研究院和增加港大中文課程；另一是高等教育平民化，包括主張港大應「向一切優秀學生開門」，和「採取積極的政策以幫助來自中國大陸之學生」。

在本報第五期的「學壇」[1]中，我們已指出香港教育的特殊責任何在。我們說

1 編按：即〈香港教育的特殊責任！〉一文。

過：「同學們如想瞭解祖國的文化歷史，也還祇有香港最為方便。」由於過去本港的教育太過於現實化和貴族化了，以致它從未能在青年學生的心靈深處散播下任何文化精神的種子。中國有句古話：「童子操刀，其傷實多。」祇有工具的知識，而沒有更高的正確的文化力量來支配這種工具的話，那難免要闖禍的。現在，高教會居然有此種遠大而深刻的眼光，建議將中國文化灌輸給中國學生，並使一般平民學生（其中尤以來自大陸的同學為最多）得以享受更高的教育的機會，這確是值得稱讚之舉。

中國文化的基本特徵之一，便是平民化。遠在春秋戰國時代，我們的偉大哲人——孔子，便已將貴族的官府之學解放了出來；漢代的儒業也極為發達；自唐代科舉以後，學術的傳布更為廣闊；宋時又有第二次的平民學術運動。這些歷史運動，都是一步步地邁向教育平民化的道路的。儘管中國文化中亦有若干的缺點，但此一優點卻不會因之而失色的！

香港教育如能走上中國化、平民化之路，無論就目前香港本身的責任說，或就海外中國學生的處境說，都是極其有意義的事。我們謹期待著這個計劃的實現！

中華民國四十一年九月二十六日

中秋的話

今夜是中秋佳節，也是這一年中月色最光華皎潔的一夕。年年今夕，這一輪團團的皓月老是懸掛在長空如洗的天邊。縱然有時被重重的黑雲緊裹在黑幕裡，轉瞬間它便會破雲而出，掃淨了天空的黑暗，表現出無比的活力。流輝所及，照澈了夜色裡的人間，中秋月色是如何的光明而莊嚴啊！

人由少而壯、而老，青年時期正是和今夜中秋的月色一樣，不但具有無比的光，更發出無限的熱。在光和熱的交織中，創造了人類歷史的光芒。無論是建設也好，革命也好……那一個場合能缺少這一支青年的勁旅呢！他們不但能摧毀黑暗，更能邁步建設，創造光明，猶如今夜的月亮一樣地圓滿、光輝。

朋友們，當你們今夜在青光籠罩下，和家人父子團圓賞月的時候，剖瓜切餅，你們也會受素月流輝的啟示而立志許身任何偉大的理想嗎？你們有信心使生命和中秋皓月一樣的潔白光明而圓滿麼？

今天是本報刊行之期，巧逢此佳節。我們謹以這一團光明為青年朋友們的前途祝禱！

中華民國四十一年十月三日

且看明年今日

——中華民國四十一年國慶獻詞

今天，又是雙十佳節了！

在這一個偉大的節日，人們總不能忘情於回憶；然而，迷戀過去與傷悼過去，對於我們的未來是毫無用處的。與其給已死的開追悼會，倒不如為新生的舉行個隆重的開幕典禮。

不可否認的，我們這一代的中國學生是從患難中成長起來的，內憂外患，交相煎迫；尤自中共統治大陸以來，中國學生的遭受毒害、奴役、蒙蔽和控制，更是史無前例。

如何解脫這種厄運，如何解救我們自己呢？這實在是值得我們深思遠慮而急待解決的問題。

要想解決這些問題，首先是中國須要建立一個民主的社會；祇有在民主社會中，中國才能獲得自由、和平與繁榮。而建立民主社會的當前最大障礙，就是中共的極權統治。因此，推翻極權統治，為民主社會開闢一條坦途，實是我們中國學生當前義不容辭的任務。

但是，中共政權的毀滅並不就是解決了我們全部的問題；民主的道路是漫長的、艱鉅的，還需要我們用更大的勇氣和更大的毅力來開始。任何形式上的空洞民主並不能保證民主社會的實現；而全國人民的普遍覺醒和民主意識在民間的生根，才是實現民主社會的必備條件。所以，一個新生的文化運動，便為我們當前的要務了。

目前祖國大陸在中共統治之下，固有文化已被摧毀，西方文化也被隔絕；國內同學們耳聞目睹，唯一可能接觸的祇有馬列主義的教條，整個祖國文化已陷入可悲的黑暗世紀。今天，海外的同學們還能幸運地生存在自由世界裡，自由地讀書學習，自由地研究比較；那麼，未來延續中國固有文化，介紹西方文化的責任，便毫無疑問地放在我們的身上。

值今雙十佳節，不必傷悼過去，不必苦悶徘徊，高高興興地為我們的未來訂下一個課程表。

一分耕耘，一分收穫，且看明年今日，成績如何！

中華民國四十一年十月十日

這山看著那山高？

「這山看著那山高」是中國的一句俗語；如果用老一點的話來說，就是「見異思遷」。

「見異思遷」並不完全是壞事。見了好的，丟掉壞的；見了正的，丟掉邪的，這該是人之常情，理所當然。可是，我們通常把「見異思遷」當作壞字眼來用，是因為一般人的「見異思遷」，往往捨棄了原則，祇看到眼前的利益；並且這種「利益」又常常帶著某種程度的幻想。所以，「這山看著那山高」常是錯覺的、幻想的；果真爬上了「那山」的時候，其實那山並不高。

「見異思遷」的具體表現：在做人方面是朝秦暮楚；在求學方面是一曝十寒；

在做事方面是虎頭蛇尾。它的惡果，將使一個人不祇失去朋友的信任，久而久之，也使自己失去對自己的信心；不祇失掉朋友，也將誤盡事業。

年青人容易被現實蒙蔽，容易被聲勢、利慾所誘惑；因而，「見異思遷」的錯誤也最容易犯；這是我們應該特別警惕的。

我們的國家到了今天的地步，有人把責任推給了近幾十年來的教育，這不是沒有理由的。無論如何，學問、事業，都先要從做人上著手。不會做人，連做人都談不到的時候，學問、事業也就失去積極的意義了。

一切要先從做人做起！

缺少了做人標準和做事原則，「見異思遷」是必然的。

亂世常使人失去「擇善固執」的精神。但，個人人格、民族氣節，以及時代主潮，卻正表現在這種精神裡。

一個偉大的人格是要能經得住磨煉的。歷史上，哪一個創業的人，哪一個有著偉大成就的人，不在青年時代經受過艱苦的磨煉？「貧賤不移，威武不屈」，都是人格的考驗；廣義的說，這些考驗就在我們日常的生活中。

事業的開創總要經過波折、困難；祇有在波折處站得住，在困難時撐得起，這事業才有真實的意義。在困難時，我們不可三心二意；在波折處，我們不可見異思遷；否則，捨本逐末、投機取巧，以及祇顧現實，甚至趨炎附勢的做法，都是不會有真正成就的。這一點，尤其是剛剛踏入社會的同學們所應當特別注意的。

對今天中國的局勢來說，我們一旦在事實的面前，認清了共黨的面目；我們就要有充分的勇氣反抗它的極權統治，推翻這個「一面倒」的政權；同樣的我們要有充分的勇氣，站在自由、民主的戰線上，不移、不屈，擇善固執地，為中國的明天而奮鬥。

中華民國四十一年十月十七日

如果魯迅還活著？

——也紀念魯迅逝世十六週年

「待到偉大的人物成為化石，人們都稱他偉人時，他已經變了傀儡了。」（〈無花的薔薇〉）

想不到魯迅先生在二十六年前的一句預言，到今天真的靈驗了。現在，共產黨有計劃地把這位死去的魯迅捧得高入雲霄，奉若神明，在他的牌位上加了個「偉大的文化革命的主將」的謚號。給他立紀念祠，豎紀念碑，開追悼會，辦魯迅藝術學院，煞有介事地故示尊崇，為的是什麼？

因為魯迅先生已經瞑目九泉，他再不能夠回到人間看看今天的「新中國」；因為魯迅先生的肢體早已僵腐，他再不能夠揮動筆鋒來痛殲今日的群醜了。

魯迅先生生長的時代，是北洋軍閥專橫跋扈的時代，是抗戰前夕民情激奮的時代，當時的情形，不僅他不滿意，任何人處在那個環境裡，也會痛心疾首的。可惜的是天不假年，他不能夠再活十六年，看看今日當權者所耍的一套把戲，究竟比那時強了多少？

二十五年前，他在暨南大學演講時說：「文學家都在做一個夢，以為革命成功，將有怎樣怎樣一個世界；革命以後，他看看事實全不是那麼一回事，於是他又要吃苦了。」好的是，他的夢還沒有醒便死去了；不然，他一定和蘇聯革命前謳歌過革命的葉遂寧和梭波里一樣，磕死在自己所謳歌和希望的現實碑上。

毛澤東給魯迅的評價沒有錯，「魯迅的骨頭是最硬的，他沒有絲毫的奴顏和媚骨」。因此，他必能代表著大多數中國人民的意向，對極權的、殘暴的現實深惡痛絕；也必能代表著大多數中國人民的願望，向當前的統治階級大張撻伐。

但是，在「當權者的指揮刀不僅可以指揮武士，也同樣可以指揮文人」的「新中國」裡，魯迅的行為是絕不被允許的。

所以，如果今天魯迅還活著，其縱不如葉遂寧和梭波里一樣地飲恨自殺，也必然會和蕭軍遭遇同樣的命運，不得終其天年！

我們深為魯迅先生慶幸，如果他再多活上十六年，躬逢今天的「盛世」，則其所得到的，一定不是推崇與頌揚。說不定今天正在思想改造會上遭受檢討；說不定今天正在淮河工地上勞動改造；說不定今天正被罵為落後的、反動的、腐朽的無恥文特，而永遠喪失了做傀儡的資格呢。

中華民國四十一年十月二十四日

苦悶在折磨著我們

幾個青年人湊在一起，一談起問題，便是滿腹牢騷，一肚子苦悶，覺得無法發洩。左看看不對，右看看也不對，看看眼前仍是漆黑一片，不見絲毫曙光。四顧茫茫，生趣索然，於是苦悶，苦悶，苦悶一直在折磨著我們！

在一個正常安定的社會中，青年人是不應該有苦悶的；但是，在像今天這樣一個動盪離亂的環境裡，苦悶正是必然的時代產物。如果有人從來沒有感受過苦悶，那才是青年人中的怪物。

苦悶是一座煉爐，多少人禁不住這種鍛煉，被燒得焦頭爛額，無聲無息地倒下去了。他們對現實絕望，對未來的一切失去信心，於是盡量逃避現實，像駝鳥一般地把頭埋在沙漠裡，盡情尋找刺激，拚命追求享受，想從麻木中求得超脫。殊不知這正是慢性自殺，找不出真正的答案來。苦悶是不會自動離開你的，當你醉意闌珊，搖曳著身軀步出舞院的時候，仰望長空明月，不是仍然感覺到空虛，惆悵嗎？所以要解除苦悶，必須先找出苦悶的原因，什麼地方使人不滿意，我們理想的遠景是什麼？有了遠景，便就有了方向，然後再循著這個方向，步步向前走去。

苦悶之所以發生，就是因為對現實不滿意，就是因為有了遠景而無法實現到。但是，這並沒有關係，祇要我們的理想是正確的，我們的遠景是真正的天堂，不是偽裝的魔宮，基本方向沒有錯誤，所剩下的問題祇是如何達到目的地了。

我們現在正陷入一個山谷中，前面懸崖，後臨絕壁，四面八方都換不出一條路來，呼天喚地，無人應援。在這種情形之下，便祇有立定開山的決心，揮動斧頭先把我們面前的障礙剷平。儘管開山的工作多麼不易，儘管我們的工具不夠犀利，但是斫掉了一塊石頭，便接近我們的遠景一步。道路是人開出來的，我們這一代的青年，等了幾十年，都沒有人給我們開闢一條通往遠景的坦途；別人給我們準備的道路不是走入墳墓，便是投入虎口，難道我們還能等待嗎？自己的苦悶自己不求解決，還想等待何人？

苦悶是創造的動力，是新生的源泉，被苦悶折磨著的我們，快定出自己的方向，快舉起手中的斧頭，把苦悶化成力量，讓這力量實現我們的遠景吧！

暴風雨前的燥熱是必然的，低氣壓帶來的是彤雲密布，大雨傾盆，被雨水滋潤後的新苗會給我們帶來新生的希望。

中華民國四十一年十月三十一日

附錄二

余英時香港時代著作目錄[1]

1 編按：本附錄依照文章發表的先後順序，列出作者在香港時代的著作目錄。已收入本文集其他書目之文章，另於括號中注出書名。

一九五一年

〈能忍自安〉，《星島日報》，一九五一年一月一日，增刊第六版。

〈文化侵略與文化交流〉，署名艾群，《自由陣線》四卷八期，頁七—八，一九五一年二月。

〈「群眾大會」的註解——〈燕大師生集會控美文化侵略〉的分析〉，署名艾群，《自由陣線》五卷四期，頁一四—一五，一九五一年四月。

〈從民主革命到極權復辟——民主革命論之一〉，署名艾群，《自由陣線》七卷三期，頁五—七，一九五一年九月。（《民主革命論》初稿）

〈論革命的領導權——民主革命論之二〉，署名艾群，《自由陣線》七卷七期，頁四—六，一九五一年十月。（《民主革命論》初稿）

〈論革命的手段與目的——民主革命論之三〉，署名艾群，《自由陣線》七卷十二期，頁七—九，一九五一年十一月。（《民主革命論》初稿）

〈我的一點期望〉，署名艾群，《自由陣線》八卷一期，頁一三，一九五一年十二月。

〈論革命的道路——民主革命論之四〉，署名艾群，《自由陣線》八卷二期，頁五—七，一九五一年十二月。（《民主革命論》初稿）

一九五二年

〈領袖、群眾與革命——民主革命論之五〉，署名艾群，《自由陣線》八卷六期，頁五—七，一九五二年一月。（《民主革命論》初稿）

〈民族主義與民主革命——民主革命論之六〉，署名艾群，《自由陣線》八卷九期，頁五—七，一九五二年一月。（《民主革命論》初稿）

〈胡適思想的新意義〉，署名艾群，《自由陣線》八卷十一期，頁五—七，一九五二年二月。

〈政治革命與民主革命——民主革命論之七〉，署名艾群，《自由陣線》九卷四期，頁七—九，一九五二年三月。（《民主革命論》初稿）

〈救出自己〉，署名艾群，《自由陣線》九卷四期，頁一六，一九五二年三月。（收入《到思維之路》）

〈方生的快生！未死的快死！〉，署名艾群，《自由陣線》九卷五期，頁五—六，一九五二年三月。

〈望盡天涯路〉，署名艾群，《自由陣線》九卷五期，頁一六，一九五二年三月。（收入《到思維之路》）

〈靈山祇在我心頭〉，署名艾群，《自由陣線》九卷六期，頁一七，一九五二年四

月。（收入《到思維之路》）

〈逝者如斯夫！〉，署名艾群，《自由陣線》九卷七期，頁一六，一九五二年四月。（收入《到思維之路》）

〈放寬些子又何妨〉，署名艾群，《自由陣線》九卷八期，頁一七，一九五二年四月。

〈資本主義經濟革命的意義——民主革命論之八〉（上、下），署名艾群，《自由陣線》九卷九—十期，頁五—六、七—九，一九五二年四月。（《民主革命論》初稿）

〈方生方死，方死方生！——答楊平先生的〈一個商榷〉〉，署名艾群，《自由陣線》，九卷十一期，頁一〇—一一，一九五二年五月。

〈何故亂翻書？〉，署名艾群，《自由陣線》九卷十二期，頁一七，一九五二年五月。

〈更上一層樓〉，署名艾群，《自由陣線》十卷一期，頁一六，一九五二年五月。（收入《到思維之路》）

〈寧靜以致遠〉，署名艾群，《自由陣線》十卷四期，頁一七，一九五二年六月。

〈社會主義革命的演變——民主革命論之九〉，署名艾群，《自由陣線》十卷六

期，頁五—八，一九五二年六月。（《民主革命論》初稿）

〈歷史自由論導言〉，《新亞校刊》第一期，頁七—八，一九五二年六月。

〈臨別的話〉，《新亞校刊》第一期，頁三〇，一九五二年六月。

〈衝決網羅〉，署名艾群，《自由陣線》十卷六期，頁一七，一九五二年六月。

〈如人飲水，冷暖自知〉，署名艾群，《自由陣線》十卷七期，頁二一，一九五二年七月。（收入《到思維之路》）

〈此心吾與白鷗盟〉，署名艾群，《自由陣線》十卷八期，頁二一，一九五二年七月。

〈肯定自己的獨立思想〉，署名石英，《中國學生周報》第一期，一九五二年七月二十五日，第三版。（收入《到思維之路》，題為〈肯定我們的獨立思想！〉）

〈遠在天邊，近在眼前〉，署名石英，《中國學生周報》第三期，一九五二年八月八日，第三版。（收入《到思維之路》）

〈剎那心和連續心〉，署名石英，《中國學生周報》第四期，一九五二年八月十五日，第三版。（收入《到思維之路》，題為〈剎那心和相續心〉）

〈學而思，思而學〉，署名石英，《中國學生周報》第五期，一九五二年八月二十二日，第三版。（收入《到思維之路》）

〈論文化與革命——民主革命論之十〉（上），署名艾群，《自由陣線》十一卷二期，頁一七—一九，一九五二年八月。（《民主革命論》初稿）
〈論文化與革命——民主革命論之十〉（下），署名艾群，《自由陣線》十一卷三期，頁一七—一九，一九五二年八月。（《民主革命論》初稿）
〈愛之人生〉，署名石英，《中國學生周報》第十期，一九五二年九月二十六日，第三版。
〈歡樂聲浪中的懺悔〉，署名石英，《中國學生周報》第十二期，一九五二年十月十日，第二版。
〈求學之道〉，署名愚公，《中國學生周報》第十八期，一九五二年十一月二十一日，第三版。
〈論社會革命〉（上、中、下），署名艾群，《自由陣線》，十一卷十二期、十二卷一—二期，頁五—六、一七—一八、一九—二〇，一九五二年十月、十一月。（《民主革命論》初稿）
〈開場白——革命問題討論（一）〉，署名艾群，《人生》四卷三期，頁二四，一九五二年十二月。（收入《民主革命論》附錄二）

一九五三年

〈論反革命〉（上、中、下），署名艾群，《自由陣線》十三卷二—四期，頁一四—一五、一六—一七、二〇，一九五三年二月。（《民主革命論》初稿）

〈續論反革命〉，署名艾群，《自由陣線》十三卷五期，頁一八—一九，一九五三年二月。（《民主革命論》初稿）

〈談政治革命〉，署名艾群，《人生》四卷七期，頁二五，一九五三年二月。（收入《民主革命論》附錄三）

〈畢業以來——給同學們的信〉，《新亞校刊》第二期，頁二二，一九五三年三月。

〈論文藝復興〉，署名艾群，《自由陣線》十三卷八期，頁一四—一六，一九五三年三月。（收入《近代文明的新趨勢》第二章）

〈論宗教革命〉（上、下），署名艾群，《自由陣線》十三卷十二期、十四卷一期，頁一四—一五、一四—一五，一九五三年四月。（《民主革命論》初稿）

〈近代文明的新趨勢——十九世紀以來的民主發展〉（一至四），署名艾群，《自由陣線》十四卷六—九期，頁一四—一五、一四—一五、一五—一七、一五，一九五三年五、六月。（收入《近代文明的新趨勢》第十章）

〈法國革命期間歷史研究的復興〉，《新亞校刊》第三期，頁四三—四五，一九五三年七月。

〈論中國智識分子的道路——中國傳統社會人物批判〉（一至五），署名艾群，《自由陣線》十五卷一—四、六期，頁一四—一五、一四、一四—一五、一○—一一、一九，一九五三年七、八月。

〈論文明〉（上、下），署名艾群，《人生》五卷十一—十二期，頁五—七、八—一○，一九五三年八、九月。（收入《文明論衡》，題為〈文明與野蠻〉）

〈重重壓迫下的中國商賈——中國傳統社會人物批判〉（一至四），署名艾群，《自由陣線》十五卷十一期、十六卷一—三期，頁一○、一六—一九、一六、一六—一七，一九五三年九、十月。

〈知而不行，祇是未知〉，署名艾群，《自由陣線》十六卷八期，頁一五—一六，一九五三年十一月。（收入《到思維之路》）

一九五四年

〈論進步——文明論之二〉（上、中、下），《人生》七卷二—四期，頁一○—一二、七—九、一六—一七，一九五四年一、二月。（收入《文明論衡》）

〈十九世紀法國浪漫派之史學〉，《新亞校刊》第四期，頁一〇—一三、四九，一九五四年二月。

〈迎擊中共的文化反攻！〉，署名艾群，《自由陣線》十七卷八期，頁五—六，一九五四年二月。

〈平等概念的檢討〉，《自由中國》十卷五期，頁六—九又轉五，一九五四年三月。（收入《自由與平等之間》第三章）

〈論自覺——文明論之三〉（上、中、下）《人生》，七卷八—十期，頁三—四、七—八、六—七，一九五四年三、四月。（收入《文明論衡》）

〈我們眼前的文化工作〉，署名艾群，《自由陣線》十八卷五期，頁八—九，一九五四年四月。

〈五四運動的再檢討〉，《人生》七卷十二期，頁三—四、六，一九五四年五月。（收入《文明論衡》附錄一，合在〈「五四」文化精神的檢討與反省〉之下）

〈我對中國問題之反省——兼評本位、西化、折衷三者的論點〉（上、下），《人生》八卷四—五期，頁二—五、六—八，一九五四年七月。（收入《文明論衡》附錄二，題為〈我對中國問題的反省〉）

〈鐵幕後歷史學的災難〉，署名艾群，《自由陣線》十九卷七期，頁八—一〇，一九五四年七月。
〈基佐的歷史學〉，《新亞校刊》第五期，頁一〇—一一，一九五四年七月。
〈現階段新勢力運動的檢討〉，署名艾群，《自由陣線》二十卷一期，頁一〇—一二，一九五四年九月。
〈論傳統——文明論之四〉（上、下），《人生》八卷十一—十二期，頁二—四、八—一一，一九五四年十、十一月。（收入《文明論衡》）
〈自由與平等之間〉（上、下），《民主評論》五卷二十—二十一期，頁一六—一八、一九—二三，一九五四年十、十一月。（收入《自由與平等之間》第五章，題為〈自由與平等關係的探討〉）
〈羅素論自由〉（上、下），署名艾群，《自由陣線》二十卷十一—十二期，頁九—一一、七—九，一九五四年十一月。（收入《自由與平等之間》附錄一）
〈人生的徬徨——從《星星、月亮、太陽》說起〉，《人生》九卷三期，頁一二—一四，一九五四年十二月。

一九五五～一九五六年

〈自由本論〉（上、中、下），《人生》九卷五—七期，頁八—九又轉一三、八—

一〇、一二—一三，一九五五年一、二月。（收入《自由與平等之間》第一章，題為〈自由探本〉）

〈問題簡答〉，《人生》九卷八期，頁二六，一九五五年三月。

〈五四文化精神的反省——兼論今後文化運動的方向〉，《自由陣線》二十二卷十一期，頁五—六、二二，一九五五年五月。（收入《文明論衡》附錄一，合在〈「五四」文化精神的檢討與反省〉之下）

〈「文明」與「文化」釋名〉，《自由陣線》二十三卷四期，頁七—八，一九五五年六月。（收入《文明論衡》附錄四）

〈論文化整體〉（一至三），《自由陣線》二十三卷六—八期，頁二〇—二二、一〇—一二、二〇，一九五五年六、七月。（收入《文明論衡》）

〈法國政治學派的兩大史學——讀史隨記之一〉，《新亞校刊》第七期，頁八—一〇，一九五五年十月。

〈記湯因比在哈佛大學的講演——當前世界中基督教與非基督教的信仰〉，《海瀾》第二期，頁四—六，一九五五年十二月。

〈奇蹟的出現——聖女貞德之死〉，署名艾群，《自由陣線》二十六卷十二期，頁二四，一九五六年四月。

〈無恥的審判——聖女貞德之死〉，署名艾群，《自由陣線》二十七卷一、二期，頁二四、二四，一九五六年四月。

〈貞德之死——聖女貞德之死〉，署名艾群，《自由陣線》二十七卷三期，頁二四，一九五六年五月。

〈聖德不朽——聖女貞德之死〉，署名艾群，《自由陣線》二十七卷四期，頁二四，一九五六年五月。

〈自由是什麼？〉，羅素著，余英時譯，許冠三註，《自由陣線》第二十九卷第五、六、八、九期，頁一三—一四、頁一三—一五、頁一六、頁二六—二八，一九五六年十一月五日、十二日、二十六日、十二月三日。（收入《自由與平等之間》附錄二）

一九六一～一九七八年

〈論學書簡〉，《人生》二十四卷七、八期合刊，頁三八—三九，一九六一年二月。

〈月會講詞——一九七三年九月十四日本校第一四三次月會〉，《新亞生活》一卷二期，頁一—二，一九七三年十月。

〈為「新亞精神」進一新解——新亞書院二十三屆畢業典禮致詞〉，《新亞生活》一卷十一期，頁一—三，一九七四年七月。

〈余英時先生來信〉，《南北極》第五十六期，頁二六，一九七五年一月。（收入《香港時代文集》，題為〈致《南北極》函〉）

〈我對於新亞校友會的期望〉，《新亞生活》二卷九期，頁一，一九七五年五月。

〈事上磨鍊——校長余英時博士致詞〉，《新亞生活》二卷十期，頁一—二，一九七五年六月。（收入《香港時代文集》，副題改為「新亞書院二十四屆畢業典禮致詞」）

〈劉大中先生與新亞書院〉，《新亞生活》三卷四期，頁一—二，一九七五年十二月。

〈大學與中國的現代化——一個歷史工作者的看法〉，《新亞生活》五卷五期，頁一—三，一九七八年一月。

《中國學生周報》社論

〈負起時代責任！——《中國學生周報》創刊詞〉，《中國學生周報》第一期，一九五二年七月二十五日，第一版。

〈為爭取學術自由而奮鬥！〉，《中國學生周報》第二期，一九五二年八月一日，第一版。
〈回國升學有前途嗎？〉，《中國學生周報》第三期，一九五二年八月八日，第一版。
〈我們要求擇業自由〉，《中國學生周報》第四期，一九五二年八月十五日，第一版。
〈香港教育的特殊責任！〉，《中國學生周報》第五期，一九五二年八月二十二日，第一版。
〈我們對孔子的態度〉，《中國學生周報》第六期，一九五二年八月二十九日，第一版。
〈記者節的意義〉，《中國學生周報》第七期，一九五二年九月五日，第一版。
〈邁向新文學的坦途〉，《中國學生周報》第八期，一九五二年九月十二日，第一版。
〈寫在開學之始〉，《中國學生周報》第九期，一九五二年九月十九日，第一版。
〈走向平民化的教育！〉，《中國學生周報》第十期，一九五二年九月二十六日，第一版。

〈中秋的話〉，《中國學生周報》第十一期，一九五二年十月三日，第一版。
〈且看明年今日——中華民國四十一年國慶獻詞〉，《中國學生周報》第十二期，一九五二年十月十日，第一版。
〈這山看著那山高？〉，《中國學生周報》第十三期，一九五二年十月十七日，第一版。
〈如果魯迅還活著？——也紀念魯迅逝世十六週年〉，《中國學生周報》第十四期，一九五二年十月二十四日，第一版。
〈苦悶在折磨著我們〉，《中國學生周報》第十五期，一九五二年十月三十一日，第一版。

余英時文集19

香港時代文集

2022年8月初版　　定價：新臺幣460元

著者	余英時
總策劃	林載爵
總編輯	涂豐恩
副總編輯	陳逸華
特約主編	官子程
叢書主編	沙淑芬
校對	蔡竣宇
內文排版	菩薩蠻
封面設計	莊謹銘

出版者	聯經出版事業股份有限公司
地址	新北市汐止區大同路一段369號1樓
叢書主編電話	(02)86925588轉5310
台北聯經書房	台北市新生南路三段94號
電話	(02)23620308
台中辦事處	(04)22312023
台中電子信箱	e-mail：linking2@ms42.hinet.net
郵政劃撥	帳戶第0100559-3號
郵撥電話	(02)23620308
印刷者	世和印製企業有限公司
總經銷	聯合發行股份有限公司
發行所	新北市新店區寶橋路235巷6弄6號2樓
電話	(02)29178022

總經理	陳芝宇
社長	羅國俊
發行人	林載爵

行政院新聞局出版事業登記證局版臺業字第0130號

本書如有缺頁，破損，倒裝請寄回台北聯經書房更換。　ISBN 978-957-08-6428-1 (平裝)
聯經網址：www.linkingbooks.com.tw
電子信箱：linking@udngroup.com

國家圖書館出版品預行編目資料

香港時代文集/余英時著．初版．新北市．聯經．2022年8月．
400面．14.8×21公分（余英時文集19）
ISBN 978-957-08-6428-1（平裝）

1.CST：言論集

078 111010407